D1094448

La collection
ROMANICHELS POCHE
est dirigée par
André Vanasse

Dans la même collection

Aude, *Cet imperceptible mouvement.*

Aude, *La chaise au fond de l'œil.*

Aude, *L'enfant migrateur.*

André Brochu, *La Grande Langue. Éloge de l'anglais.*

Brigitte Caron, *La fin de siècle comme si vous y étiez (moi, j'y étais).*

Claire Dé, *Le désir comme catastrophe naturelle.*

Louise Dupré, *La memoria.*

Louis Hamelin, *La rage.*

Louis Hamelin, *Ces spectres agités.*

Louis Hamelin, *Cowboy.*

Louis-Philippe Hébert, *La manufacture de machines.*

Sergio Kokis, *Le pavillon des miroirs.*

Micheline La France, *Le visage d'Antoine Rivière.*

Christian Mistral, *Sylvia au bout du rouleau ivre.*

Christian Mistral, *Vautour.*

Daniel Pigeon, *La proie des autres.*

Hélène Rioux, *Chambre avec baignoire.*

Régine Robin, *L'immense fatigue des pierres.*

Régine Robin, *La Québécoite.*

Jean-Paul Roger, *L'inévitable.*

Adrien Thério, *Conteurs canadiens-français (1936-1967).*

Pierre Tourangeau, *Larry Volt.*

France Vézina, *Osther, le chat criblé d'étoiles.*

Frontières ou Tableaux d'Amérique

Du même auteur

Figures parallèles, Québec, Éditions de l'Arc, 1963 (poésie), épuisé.

La tête barbare, Montréal, Éditions du Jour, 1968 (poésie), épuisé.

Quand la voile faseille, Hurtubise HMH, Montréal, 1980 (récits) ; réédité en livre de poche dans la coll. « Bibliothèque québécoise », 1989.

Ah l'amour l'amour, Montréal, Quinze, 1981 (roman) ; réédité en livre de poche chez Stanké, coll. « 10/10 », 1987.

La parade, Montréal, Québec Amérique, 1984 (roman).

L'ombre de l'épervier, Montréal, Québec Amérique, 1988 (roman) ; sélectionné et réédité par Québec-Loisirs, en 1988 ; réédité à plusieurs reprises, dont l'édition de 1997 pour accompagner la télésérie diffusée à Radio-Canada à compter de janvier 1998.

Écrire de la fiction au Québec, Montréal, Québec Amérique, 1990 (essai).

L'eau blanche, Montréal, Québec Amérique, 1992 (roman).

Frontières ou Tableaux d'Amérique, Montréal, Québec Amérique, 1995.

La terre promise, Remember !, Montréal, Québec Amérique, 1998.

Les bonheurs d'un héros incertain, Montréal, XYZ éditeur, 2002.

Noël Audet

Frontières ou Tableaux d'Amérique

roman

XYZ
éditeur

Romanichels
poche

La publication de cet ouvrage a été rendue possible grâce à l'aide financière du ministère du Patrimoine canadien par l'entremise du Programme d'aide au développement de l'industrie de l'édition (PADIÉ), du Conseil des Arts du Canada (CAC), du ministère de la Culture et des Communications du Québec (MCCQ) et de la Société de développement des entreprises culturelles (SODEC).

Édition originale : Québec Amérique, 1995.

© 2003
XYZ éditeur
1781, rue Saint-Hubert
Montréal (Québec)
H2L 3Z1
Téléphone : 514.525.21.70
Télécopieur : 514.525.75.37
Courriel : info@xyzedit.qc.ca
Site Internet : www.xyzedit.qc.ca

et

Noël Audet

Dépôt légal : 2ᵉ trimestre 2003
Bibliothèque nationale du Canada
Bibliothèque nationale du Québec
ISBN 2-89261-344-2

Distribution en librairie :
Au Canada :   En Europe :
Dimedia inc.   D.E.Q.
539, boulevard Lebeau   30, rue Gay-Lussac
Ville Saint-Laurent (Québec)   75005 Paris, France
H4N 1S2   Téléphone : 1.43.54.49.02
Téléphone : 514.336.39.41   Télécopieur : 1.43.54.39.15
Télécopieur : 514.331.39.16   Courriel : liquebec@noos.fr
Courriel : general@dimedia.qc.ca

Conception typographique et montage : Édiscript enr.
Maquette de la couverture : Zirval Design
Illustration de la couverture : Rufino Tamayo, *La femme au masque rouge*, 1940
Photographie de l'auteur : Ludovic Fremaux

À R. Martel
et M. Pierssens
qui m'auront, chacun à
sa manière, poussé
à l'écriture de ce livre.

Le roman qui suit est constitué de sept tableaux narratifs sur l'Amérique et l'idée du bonheur. Je me suis inspiré de la structure de *Tableaux d'une exposition* de Moussorgski, où chaque pièce est suivie d'une « promenade » musicale.

« Notre parti pris occulte la mort. C'est l'un de nos nouveaux secrets. Rien ne nous dit qu'il faille affronter la mort. Notre quête d'éternité se situe au contraire à un niveau matériel. Nous consacrons nos vies à travailler, à nous préparer, à épargner, à nous pousser de l'avant vers quelque chose d'indéfini. Notre mouvement à travers le système nous donne l'impression d'être ici pour toujours. »

JOHN SAUL, *Les bâtards de Voltaire*

« Et puis sans ce corps que seriez-vous pauvre
    affamé
de rêve quelle serait votre chance de vivre
parmi d'autres désirs parfois si beaux que le
    sang vous échappe »

ANDRÉ BROCHU, *Delà*

Le promeneur

Lorsque je visite un pays pour la première fois et que j'arrive à la frontière, je me sens toujours intrus, suspect par la force des choses, presque coupable, sans savoir de quoi au juste on pourrait m'accuser. Il est tout de même étrange de voir à quel point j'attire l'attention du douanier : en m'avisant il flaire la bonne occasion, il s'approche, il se dandine d'un pied sur l'autre, pour un peu il se mettrait à chantonner. Je devrais sans doute rougir d'avoir voulu changer radicalement de lieu plutôt que d'être resté tranquillement dans mes meubles et enclos dans l'espace de mon corps, bref chez moi dans mes affaires. Il faut croire que mon plaisir de voyager se voit atrocement puisque le douanier m'interpelle chaque fois, et je comprends tout de suite qu'il veut m'interdire l'accès de son royaume sous n'importe quel prétexte. L'espace d'une seconde je ressemble à celui qui cogne à la porte du Royaume interdit.

Les douaniers sont quelquefois de parfaits imbéciles mais ils ont l'œil inspiré de ceux qui savourent pleinement leur pouvoir : cette monstrueuse possibilité d'infléchir le destin des autres dans le prolongement direct du bras de Dieu. En voici un qui me repère dans la foule des voyageurs et qui ne me quittera plus des yeux, même s'il fait mine de s'intéresser uniformément à tous et chacun d'entre nous. Je suis seul à savoir qu'il m'a choisi, pour se faire la main en quelque sorte, ou bien considère-t-il que j'en vaux vraiment la peine. Quand j'arrive à sa hauteur, je me sens déjà piégé et sans voix, car il est juste d'admettre que je suis au moins coupable de m'être rendu jusque-là, sans invitation particulière. Et pour faire quoi exactement ? Pour voyager tout simplement, sans autre but ? Et où est-ce que je pense me rendre avec mon fourbi ? Il désigne ma vieille valise de cuir élimée. « C'est que je suis fasciné par votre pays, par tout ce qui grouille sous le soleil d'ailleurs ! » dis-je. « Nous y voilà ! » conclut le douanier, comme si l'aveu venait d'être lâché. Dès lors il est libre de me refouler ou de m'indiquer le passage. Et à cet instant précis je le déteste de toute mon âme.

Sa main caresse le cuir de ma valise posée à plat sur le comptoir. Il n'est pas pressé de l'ouvrir. Il veut d'abord sonder mes intentions et mesurer ma capacité d'entreprendre un tel voyage. Il ressemble à un confesseur mais sans les prescriptions morales, et je n'ai pas envie de me confier à cet énergumène qui abuse ostensiblement de la situation. Je demande « Où est le problème ? » en déballant en bon ordre et sous son nez mes titres de transport. Il esquisse un sourire méprisant et pousse, du revers de la main, passeport, billet d'avion, travellers, carnet de notes, stylo... Il prétend que lorsqu'on voyage, il faut savoir où l'on va, avoir un but, des moyens, un itinéraire et une destination, et s'y tenir. Que je ne puisse pas définir d'avance et dans le détail la totalité de mon parcours l'angoisse peut-être.

— Autrement où va le monde ? demande-t-il.

— La question est bonne !

Il croit que je me moque de lui. Sa joue glabre frémit, sa cravate commence à pendre comme il se penche en avant. Clic clic ! Il déverrouille ma valise, l'entrouvre à peine, y glisse la main sans regarder. Il va à la pêche dans mes effets personnels. De mon côté je rêve de l'attraper par les ouïes, cette anguille fureteuse, et de serrer... serrer. Il a beau me redemander où je vais, je n'en sais rien puisque je voyage au fil des jours, au fil des petits bonheurs. C'est seulement le soir que j'arrive à faire le point et à choisir un itinéraire pour la suite, et encore ! Ça dépend de l'inspiration du moment, des circonstances, de l'air que je respire, je veux dire que ça dépend de la direction que prennent mes recherches. Et mes recherches dépendent du désir que j'ai d'explorer tel ou tel coin de pays. On ne peut être plus clair. J'explique donc. Ma réponse lui paraît équivoque, sa main fouille toujours en accélérant le rythme, et je suis en mesure de lire dans ses yeux la satisfaction qu'il prend à son enquête sournoise.

Dans le but d'arranger les choses, je songe à lui dire que je suis journaliste. Mais je ne le suis qu'à moitié, pour la part que je vole au réel : il faut bien se donner un point de départ. Je n'ai d'ailleurs aucune carte à montrer, et s'il tendait un peu la corde que son imagination me passe autour du cou, je lui avouerais tout de go que le journalisme est un métier trop pressé, toujours à la course, tandis que moi je préfère marcher et voir venir. Cette justification ne serait donc pas vraisemblable. Mais si je risquais : Enseignant. « Ma parole ! Qu'est-ce qu'on peut enseigner de nos jours, ferait-il, à la vitesse où se bousculent les connaissances ? » « Rien, dirais-je, sauf la théorie de la relativité générale des connaissances ! » « Monsieur est un scientifique ? » « Non, un inventeur », car j'ai toujours souhaité être inventeur, parce que je vois chaque jour des bidules et des machins qui fonctionnent mal, que la technologie n'a pas encore réussi à nous redresser – un véritable martyre ! Ces bidules-là sont mal conçus, mal dessinés, mal calculés, ça encombre, c'est laid, ça se brise à rien. Au bout du compte, ayant compris que je passerais mon temps à courir après des bidules pour réparer les machins, j'ai préféré laisser tomber.

Voilà que ses yeux s'allument parce que sa main fouisseuse vient de heurter une grande enveloppe rigide parmi les vêtements mous. Il ouvre brusquement la valise comme on plaque le premier accord d'un concerto, il en retire l'objet litigieux qu'il exhibe entre deux doigts.

Je ne peux tout de même pas lui avouer qu'en fait je suis un inventeur de vies virtuelles, que ces vies-là valent bien mieux que la sienne et la mienne réunies, parce qu'elles sont plus significatives, puisqu'elles sont justement faites pour ça, et que la seule façon d'y avoir réellement accès c'est de les inventer. Il ne comprendrait pas.

— Et qu'est-ce que c'est que ça ?

— Une lettre, ça se voit, non ?

— Vous permettez ?

Il dit « Vous permettez ? » mais il ne demande pas la permission, il commence à décacheter l'enveloppe en faisant remarquer qu'elle a été recachetée de nombreuses fois, comme si j'avais éprouvé des remords, des repentirs… après l'avoir écrite. Un fin limier, en somme !

— C'est un peu ça, dis-je.

Dès lors la lettre revêt à ses yeux un intérêt immense : il découvrira enfin où je vais. Il la flaire — elle n'est pas parfumée –, il retire les feuillets, il commence à lire après avoir dénoncé le fait qu'elle n'est pas datée — à moins que ce soit parce que je ne sais pas d'où je viens. Il lit, « Chère Mary, Marie, Maria… »

— C'est un nom, ça ?

— C'est qu'elles sont plusieurs.

— Oh ! je vois.

— Vous ne voyez rien. Elles sont plusieurs, mais au fond elles sont la même.

— Il faudrait savoir. Monsieur veut dire qu'elles sont interchangeables.

— Aucunement. Mary, Marie, Maria ont la même âme, c'est leur destin qui les rend différentes.

— On s'embrouille, dit-il.

La lettre ne le renseigne guère sur ma personnalité, ni sur ma destination, mais tout de même. Il poursuit sa lecture en haussant les épaules. Puis il manifeste son désaccord : de quel droit je pouvais prétendre aimer une jeune fille et avouer du même souffle ne rien pouvoir pour elle ? De quel droit j'osais prétendre dessiner sa vie pour lui reprocher aussitôt la courbe de son destin ? Ces contradictions ne pardonnent pas.

— C'est du charabia ! lance-t-il. Vous êtes bête ou quoi ?

Je sens qu'il faut m'expliquer, sinon je ne franchirai pas cette maudite frontière. De là à lui avouer que j'ai écrit cette lettre à mes personnages… afin qu'ils se tiennent un peu tranquilles en attendant que je les dessine… il y a une marge. Et comme je le connais, ce douanier de malheur m'enverrait illico en institut psychiatrique. « On écrit maintenant à quelqu'un qui n'existe pas ? » Je parle bien à des lecteurs qui ne sont pourtant pas là quand j'écris, mais comment le lui faire admettre ?

Je pourrais au moins lui dire cependant, si j'osais, et avec un brin de prétention, que sa frontière illustre d'autres frontières plus perfides encore parce qu'elles sont constitutives de notre propre nature. C'est ce qu'on appelle les limites humaines] — qui nous encagent. Et ajouter : l'homme est un bipède intelligent, une drôle de bête en somme ! Chaque fois qu'une frontière se déplace, il en découvre une autre et rêve aussitôt de la transgresser. Prométhée est éternel en lui comme le prouvent les conquêtes scientifiques à travers les âges. Bien sûr, certains voleront au secours de l'homme en prétendant que ce n'est pas sa faute mais plutôt celle de l'existence même des frontières : si elles ne surgissaient pas continuellement au travers de sa route, il ne serait pas tenté de les franchir. Je serais assez d'accord avec cela.

— Une drôle de bête en effet, dis-je sans réfléchir, parce que le douanier commence sérieusement à me taper sur les nerfs et d'autre part, vous l'aurez deviné, parce que je m'intéresse surtout à l'animal dans l'homme. Le reste me semble bien aléatoire : on change d'amour, d'idées, de système politique, de valeurs ou de religion sans conséquences dramatiques. Seul l'animal demeure et assure la continuité.

Je lis dans ses yeux que je suis en train de m'écrouler. Le douanier a dorénavant toutes les raisons de me bloquer le passage. Alors je décide de l'attaquer de front et je lui invente sur-le-champ une histoire crédible. Si je voyage tant, c'est pour comprendre une chose étrange que je nommerai, à défaut d'inventer un meilleur terme, la « fascination ». C'est un état proche du vertige, dont on ne retient que les aspects euphorisants. On pourrait le décrire comme un vertige à la fois doux et tyrannique. Et cet arrêt du mouvement de l'esprit s'exerce à la faveur de n'importe quel objet, un paysage, le velouté d'un regard ou le pur appel du gouffre. Mais c'est toujours, curieusement, à l'objet qu'est attribué le pouvoir de séduire ou la qualité vertigineuse, et non au sujet désirant lui-même.

Le douanier regarde le plafond et tambourine sur ma valise qu'il vient de refermer. « Oh là là ! » Il se demande peut-être ce qui m'a permis de recouvrer

soudain la parole, et quelle parole! moi qui étais si
peu bavard jusque-là. Et il tend désespérément
l'oreille pour connaître mon point de chute.

Je poursuis donc, dans le concret cette fois : Par
exemple, un vieux marin m'a confié qu'il avait été
souvent «emporté» par la mer, et il m'a fallu du
temps avant de comprendre qu'il ne parlait pas de
son bateau mais de son esprit. Dans ces moments-
là il part à la dérive, parce que son attention s'est
délestée de tout contenu, et voilà que lentement
quelque chose s'immobilise en lui, ce n'est plus lui
qui pense mais le rythme régulier de l'eau, le mouvement variable à l'infini de la vague qui vient
heurter la coque, jamais deux fois de façon iden-
tique. Alors son esprit tombe sous la tyrannie de
ce que voient ses yeux, de ce qu'entend son oreille.
Il est emporté pendant de longues minutes, avalé
par l'objet qui le fascine. Il faudra la quinte de toux
d'un passager inquiet ou le craquement du navire
sous l'effet d'une houle plus forte pour le ramener
sur le pont, dans le contexte de sa croisière. Il res-
sentira un choc semblable à celui du réveil, doublé
d'une profonde joie : il vient de voler du temps au
temps, il vient de connaître une aventure qui est
le privilège d'un autre règne, comme si son corps
avait été aboli, ou mieux comme si son esprit
avait, pendant ce vertige, coïncidé absolument
avec son corps et avec la matière ambiante. C'est
l'apanage des dieux, et la singulière vertu de la fascination. Mais le fasciné ne sait pas que, pendant
la durée de son absence, il a perdu provisoirement
sa qualité d'être humain.

— Vous m'en direz tant ! fait le douanier.

— Je ferai remarquer aussi qu'il n'y a pas de vertige vers le haut, qu'il n'y a pas la peur de s'envoler, puisque c'est toujours vers le bas que l'on tombe. Même dans le rêve.

Alors le douanier éclate de rire. Il vient de comprendre. Et il comprend surtout que je ne suis pas vraiment dangereux : je ressemble à un voleur de bicyclettes dans une cour à scrap, ou à un petit rêveur impénitent assis sur le milieu du jour.

— C'est de la folie douce, conclut-il.

Peut-être à cause de son espace ouvert et lâché, du lisse indéfini de ses glaciers blancs, du vertige de ses canyons jusqu'à l'horreur de ses villes en contre-plongée, en passant par la mornitude de ses plaines, le continent américain propose plus d'objets de fascination qu'il ne peut tenir de promesses. C'est un continent mystique, qui a toujours laissé croire que l'or était enfoui dans ses flancs, il suffisait de gratter un peu, et que de sa terre pouvait jaillir n'importe quel prophète : il suffisait d'espérer. Mais nous l'habitons, ce continent, comme des chercheurs d'or aux mains pleines d'engelures, comme des croyants devant une bouche silencieuse. Et nous y sommes particulièrement déchirés entre nos rêves et les objets coupants qui nous sont proposés comme moyens d'y accéder.

— Bon voyage ! s'exclame soudain le douanier, sans autre forme de procès. Il s'était transformé tout à trac en parfait complice de mon aventure.

Sept fois j'aurai commencé ou recommencé ce voyage sous l'œil attentif d'un douanier, et sept fois j'aurai tenté de comprendre ce que je voyais, qui était si proche et en même temps si éloigné du rêve. Peut-être n'aurai-je eu affaire, après tout, qu'à des fascinés ?

Tableau I

La glace

On ne s'installe pas dans le Grand Nord, on continue de s'y accrocher parce que c'est là qu'on a vu le jour, ou bien on s'y couche pour attendre la nuit du glacier.

Il m'est arrivé quelquefois de poser le pied sur le glacier nordique qui semble l'incarnation du ciel infiniment plat qui s'y mire. Le contraste avec la matière vivante, prise entre ciel et glace, est si entier qu'on est saisi par l'hostilité de cette masse blanche qui nous avalerait sans changer de forme, mais on est également frappé d'admiration devant la splendeur du paysage : engendré par les forces du néant, il incarne pourtant à sa manière la pérennité des choses et lance un défi à notre désir d'immortalité. Les Inuits ont compris qu'il n'y a pas de lieu plus propice pour mener le dernier voyage et confier sa momie au sarcophage blanc. C'est consentir à ce que sa vie s'arrête là, c'est-à-dire qu'elle s'immobilise dans le froid, tout en conservant un doute sur le moment où intervient l'événement fatal, s'il intervient jamais, car lui aussi est pris dans l'immobilité de la glace.

J'imagine Idoua Sequaluk dans la nuit sans fin du Nord, rentrant chez lui après la chasse, à demi somnolant sur son traîneau tiré par les chiens, ses chiens qui n'ont pas d'ombre. Il est aspiré par la blancheur qui roule devant lui, la redite infinie du blanc jusqu'à l'horizon, fasciné par l'absence de frontières, de tout indice marquant l'espace et qui permettrait au voyageur de dire : Voilà mon troisième repère, j'en ai encore pour cinq heures. Sequaluk, lui, est posé sur le blanc comme une minuscule tache sombre, qui pourrait d'ailleurs être immobile. Il ne pense pas vraiment, il progresse vers son village, abandonné au rythme du traîneau et au halètement des chiens. Dans son esprit, il ne fait pas de projets, il se laisse emporter, il sait qu'il avance, cela lui suffit, et il rêve. Il rêve ? Pas tout à fait, car rien de précis ne prend place devant ses yeux ni dans son imagination. Il est pris sous le charme de l'espace, il tombe sans fin dans quelque chose qui n'a pas de nom, il glisse pour la première fois à la surface d'une planète qui lui semble ronde, il pourrait bifurquer à gauche, à droite, sans que son voyage en soit changé le moins du monde. C'est qu'il est n'importe où, dans l'indifférence du paysage, hors de toute route, de tout tracé, sans balises. De là lui vient la conscience de faire partie du paysage, d'en être en quelque sorte l'écriture, car c'est derrière lui que s'inscrit la trace, éphémère, qu'effacera le premier coup de vent.

Au bout de quelques heures, ou de quelques minutes — puisque le temps non plus n'offre pas de repères nets —, quand il est complètement avalé par la blancheur, une étrange sensation le sort de sa torpeur : il croit qu'il lui manque un pied. Mais son état de bien-être est tel qu'il choisit de fermer les yeux pour écouter le battement du sang sous la tempe. Il lutte mollement contre l'envahissement du froid, incertain de vouloir y échapper, d'autant que l'agression ne paraît pas manifeste, la sensation n'est pas douloureuse. Il lui suffirait de demeurer immobile un peu pour sentir contre son corps la robe de l'ange, qui l'étreindrait pour un dernier tour de valse, jusqu'à la raideur des membres et le bienheureux engourdissement du cerveau. Ce n'est pas la première fois qu'il connaît cette tentation : laisser le froid l'engourdir au point que l'effort de volonté pour sortir du moule où il est pris devient trop énorme ; mieux vaudrait se laisser emporter et disparaître comme le feu s'éteint, saisi par une rafale de neige. Il est sur le point de sombrer dans les bras de l'ange lorsque son traîneau heurte violemment un bloc de glace. Il ouvre les yeux. Il esquisse un sourire endolori en comprenant qu'il est sauvé.

Il aurait dû courir derrière le traîneau depuis longtemps ! Voilà qu'il a le pied droit presque gelé, parce qu'il s'est permis une trop longue absence. Il arrête les chiens d'un ordre bref proche du jappement et se roule hors du traîneau, après avoir défait les lanières qui l'y tenaient arrimé — car s'il tombait du traîneau en marche, les chiens poursuivraient

leur route pendant des jours, sans lui. Il se met à
marcher sur son pied manquant. Il claudique, il a
l'impression de tomber, mais non, le pied gelé
s'interpose entre lui et le sol ; il marche, avec la sensation pourtant de ne plus habiter tout à fait son
corps. Il fait coucher les bêtes en cercle, délace son
mocassin, frictionne vigoureusement son pied avec
de la neige et le plonge dans la fourrure des bêtes.
Au bout de quelques minutes la circulation san-
guine reprend et il retrouve lentement l'usage de sa
jambe.

Mary Two-Tals l'attend à la maison. Two-Tals
pour Two-Talents. Drôle de petite fille ! Il devra longuement sillonner la rive de la rivière Kuujjuaq,
encore plus lisse que le reste du paysage, avant de
parvenir enfin à destination, dans la chaleur. Pendant son moment d'évasion et d'engelure, il n'a pas
songé un seul instant à sa prise. Non pas un
phoque mais un caribou qu'il est allé chasser plus
au sud, parce qu'il en avait assez de la viande
noire du phoque, et bien aussi parce qu'il voulait
se distinguer des autres chasseurs dont les exploits
narratifs commençaient à l'ennuyer. Il s'est placé
sous le vent de la bête bien sûr, afin qu'elle ne
puisse pas flairer sa présence, il a épaulé son fusil
de chasse et visé entre les yeux. Un mâle superbe
au panache démesuré s'est abattu, un mâle qui
avait fait son temps, chassé du troupeau par un
plus jeune. Il l'a compris tout de suite à l'envergure
du panache et aux anciennes blessures, ces multi-
ples lacérations parallèles le long du cou. Il sourit
à l'évocation des belles luttes que l'animal a dû

mener pour survivre et assurer sa domination, puis il ressent une vive sympathie à son endroit dans la mesure où il a été victime d'une sorte d'injustice après avoir été le maître d'un grand troupeau et l'instrument aveugle de la vie. La vie n'aura rien trouvé de mieux pour le remercier que de le remplacer dans les maillons de la chaîne par un maillon plus fort, pour que ne s'affaiblisse pas la vie. Car elle n'est que redondance. Sequaluk se console en songeant que si son fier caribou errait seul, au nord, c'est qu'il avait décidé de s'éloigner pour mourir. Il revoit son grand-père, terrible de courage et de force, qui semblait ne jamais devoir céder la première place tant il avait habitué tous les autres à penser qu'il était éternel. Il avait suffi pourtant d'un an à peine pour que tout vînt à basculer. Une grippe plus mauvaise, la toux qui se prolonge, le poumon atteint, et ce regard, intérieur soudain, qui ne semblait plus percevoir ce qui tremblait devant lui. On le vit partir un matin. Il n'avait pas fait d'adieux, mais il avait traînassé dans le village de manière que tous le fixent dans leur mémoire. Puis il s'était détaché en tournant le dos au village d'un mouvement sec, pour se diriger franc nord, vers un lieu précis qu'il avait repéré depuis longtemps. Il ne revint jamais.

Le dernier voyage! Idoua Sequaluk considère que c'est une belle façon de sauter hors de la vie en ayant l'air de rentrer à la maison. Mais il n'admet pas encore le scandale du passage de plus à moins, jusqu'à n'être plus rien qu'un souvenir. L'angoisse de la mort ne provient pas de l'acte de mourir mais bien plutôt de l'affadissement progressif de l'énergie vitale. Il souffre à travers son grand-père, à travers son caribou, du scandale de la dépossession. Il se demande si le fait d'avoir moins, d'être moins, ne faciliterait pas la séparation finale. Et il regarde ses chiens, dont l'un ou l'autre tombera cette année sans faire d'histoire. Il songe aux puces de ses chiens : qui s'en préoccupe ? À cette condition seule de l'insignifiance, la roue de la vie peut tourner sans à-coups.

Les Blancs trouvent barbare la coutume de mes ancêtres de se retirer sur les glaces pour s'y endormir, mais ceux-là s'accrochent à la vie comme les manchots à la banquise en regardant les pieds des autres glisser. Les Blancs ne disent pas « La vie est précieuse », car alors les miens comprendraient, c'est-à-dire qu'ils n'apprendraient rien du tout puisqu'ils le savent déjà. Non les Blancs disent plutôt « Chaque individu est précieux », sous-entendu : il peut être utile ; ou ils disent « On n'a pas le droit d'attenter à sa vie ». Ça n'a pas de sens, mais avec tout le reste on a fini par croire ce qu'ils racontaient. Pourquoi mourir en effet ? Et à présent, même les miens se détournent du vieux rite de la mort. On dirait qu'en Amérique la mort a été exclue des phénomènes naturels, ceux devant lesquels on s'incline parce qu'ils sont inéluctables. On lutte contre la mort comme s'il s'agissait d'une maladie, comme s'il y avait une seule possibilité de gagner ce combat. On n'a pas fini de s'acharner !

Sequaluk sombre une seconde fois dans le vertige. Le traîneau glisse maintenant sur l'épaule de la rivière glacée, et il se tient debout sur les lisses, exécutant de temps à autre quelques pas rapides dans la neige durcie par la foulée des chiens. Il s'abandonne au vertige malgré ses pas rapides qui se répètent à intervalles réguliers, comme s'il en avait réglé la mécanique afin de ne plus y penser. C'est pourquoi il lui est loisible de partir en voyage. Il se bat de nouveau avec l'idée du gouffre. Lorsqu'il était enfant, il avait été happé par l'eau dans l'échancrure de la banquise. Il n'avait pas eu peur, il avait été figé, fasciné par la possibilité de sa fin soudaine. Il ne tentait rien pour y échapper, aucun mouvement, aucun appel au secours. Son père avait rampé jusqu'à la crevasse, l'avait attrapé par la manche et tiré de l'eau comme il faisait des phoques. Il l'avait déshabillé, frictionné, l'avait emmailloté dans une peau, mais l'enfant restait absent, sous le choc : il était toujours dans la possi-bilité de sa mort. Trente ans plus tard, c'est une possibilité que son corps rejette. Il sait bien qu'il devra se résoudre à passer par là, mais la vie dans son corps refuse de rendre les armes. Pourquoi mourir ? demande-t-il. Il se revoit devant le caribou abattu : penché sur lui presque amoureusement, il bande ses muscles, plante son couteau dans la chair tiède et fend l'animal de bas en haut. Ce n'est pas la première fois, pourtant le geste le trouble, il sent un remuement dans ses propres entrailles. Il voudrait se glisser dans la béance de la blessure.

Mary l'attend. Mary Two-Tals est une drôle de fille, songe-t-il de nouveau, et il fouette ses chiens, soudainement pressé de rentrer. Il pousse de temps à autre un petit cri de gorge, comme un gloussement, pour se prouver qu'il est toujours vivant, à moins que ce ne soit pour se tenir éveillé. Il rêve à la chaleur de Two-Tals, celle de son corps quand il la serre dans ses bras. Il se contente souvent de la regarder, et ses yeux à elle lui renvoient son image : celle d'un homme vieillissant, qui a attendu trop longtemps avant de se donner une descendance. Il n'a d'ailleurs pas du tout compris le désir de Mary de rester avec lui — elle avait dix ans — lorsque sa femme a disparu, envolée au bras d'un rival, après avoir tranché net tout lien pour mieux recommencer sa vie. Luissa a prétendu que Mary avait refusé de la suivre parce qu'elle préférait son père. «Eh bien, qu'elle y reste, avec lui, si ça l'excite !» Et quand par la suite elle croisait sa fille au hasard d'une activité de groupe, Luissa feignait de ne pas la reconnaître. Elle avait d'ailleurs tant de griefs à l'endroit de Sequaluk qu'elle trouvait légitime de détester un peu sa fille. Il n'avait pas su évoluer avec son temps ; il se hérissait dès que l'on évoquait les vertus des Blancs ; il était figé dans les vieilles manières de chasser, de parler, d'aimer.

— Tu me traites comme une bête !

Sequaluk ne pouvait pas lui avouer que oui, en quelques occasions, dans l'extase amoureuse, il l'avait brièvement confondue avec une bête, le contact de la peau chaude sous sa main, surtout quand elle lui tournait le dos. Mais il avait beau examiner la situation sous tous ses angles, il pensait que la révolte de sa femme ne pouvait venir que du Sud. Comment en arriver à contester chaque geste de la vie ordinaire sinon sous l'influence des modes héritées des Blancs ? Pour sa part il accomplissait ces choses comme depuis toujours, et plus il lui laissait de liberté plus elle protestait de son enfermement. Protester, c'est beaucoup dire, elle émettait une sorte de grognement en le foudroyant du regard. Alors il se tournait vers Mary et tentait de faire diversion en racontant n'importe quoi, habituellement des histoires de pêche, car c'est dans celles-là qu'il ressemblait le plus à un héros. De longues minutes plus tard il jetait un regard à sa femme pour voir si son attitude avait changé. Elle avait simplement posé son masque, il ne lisait plus rien sur son visage.

Un matin comme les autres il s'est réveillé seul et il a compris que Luissa ne reviendrait plus, même si elle n'avait rien emporté, n'avait laissé aucun mot pour expliquer sa décision. Il le savait à cause de cela même. Malade ou partie cueillir des baies ou en visite chez une cousine, elle aurait prévenu. Puis Sequaluk a eu la surprise de trouver Mary à table, devant une assiette vide, méditant sur ce qu'elle pourrait bien manger. Elle avait tout saisi avant lui et il n'y avait dans ses yeux aucune trace de drame. Ses yeux, mince couche de glace sur une eau noire, étaient luisants mais secs. L'événement était trop attendu. « Elle est partie » a-t-elle fait, entre la tristesse et le soulagement. Ils se sont regardés longuement, lui pensant d'abord à se débarrasser d'elle, elle n'avait rien à faire auprès de lui, il trouverait rapidement quelqu'un à qui la

confier. Comme elle détournait les yeux sans avoir
rien demandé, il l'a regardée à nouveau, il a dit «Tu
devras partir», mais au même moment il avait plutôt envie de lui proposer de rester, de la supplier
de rester. Elle a opposé à sa demande d'expulsion
un large sourire, comme si elle avait lu son désir
de la garder avec lui sur des lèvres qui mentaient.

Il se rappelle sa première maison de Blanc, toujours la même d'ailleurs, comment ils avaient les
yeux agrandis d'étonnement, sa femme et lui.
Comme des châteaux dans le désert, des fleurs
monstrueuses posées sur la neige, ces maisons
déracinées qui promettent plus qu'elles ne donnent, avec leurs planchers trop droits et vernis,
leurs murs de plâtre imitant la paroi de l'igloo,
leurs pièces réparties au hasard et leurs toits raides
comme des coups de hache. Elles sont belles mais
se détraquent tout à coup, elles attrapent des mala-
dies, on ne sait pas dans quelles entrailles ça se
produit. L'eau s'arrête de couler, l'eau déborde, et
les instruments qui en règlent le débit sont ridiculement petits, précaires, compliqués. Le courant
électrique ne passe plus, et c'est comme si le soleil
tombait dans la mer : on n'a pas les moyens de le
repêcher.

Luissa trouvait tout cela ensorcelant, elle avait
même tendance à rajouter au charme. C'était une
maison morte, encore moins utile qu'un igloo,
mais Luissa continuait d'agir comme si la maison
allait les protéger de tout et même décider de
l'heure des repas – la cuisinière aurait dû se mettre
en marche toute seule ! – et quand elle comprenait

qu'il n'en serait rien, elle la traitait de sale bête. Au début les mocassins d'Idoua laissaient sur le plancher de petites flaques d'eau qui la faisaient rire, puis elle s'est mise à tempêter parce qu'il fallait les éponger. Pour la première fois elle voyait l'eau laisser des saletés sur un plancher, par quel mystère ? C'était peut-être le vice caché de ce genre de maison. Mais à la naissance de Mary elle a apprécié la chambre, le fauteuil, la chaleur. À l'hiver de 1970. Elle avait du mal à comprendre qu'on ne gèle pas tout rond dans la maison, si grande. Mary est arrivée comme une surprise. Idoua mentirait en disant qu'il ne souhaitait pas un garçon. Qu'est-ce qu'il ferait d'une fille ? Sa mère pourrait toujours s'occuper d'elle, et on verrait la suite. Luissa lui reprochait déjà de ne pas tenir compte de Mary, de ne pas la considérer, parce qu'elle était une fille. Les problèmes ont commencé à ce moment-là. « Parce qu'elle est une fille ? » « Je sais, mais c'est une fille ! »

Les chiens foncent à belle allure. Ces chiens-là galoperaient jusqu'à la mort si rien ne venait marquer la fin du voyage. Quand l'un d'eux ralentit l'attelage, les autres s'énervent, montrent les crocs et menacent de dévorer le fautif. Ils sont nés pour courir, comme une mécanique animale !

Idoua n'arrive pas à oublier Mary. Mary a des dons capables de lui faire tenir le monde dans ses mains. Elle le tiendra bientôt sans doute. Un jour qu'il s'était blessé au genou avec un couteau, elle a regardé la plaie, puis elle a dit « Rien de grave ! » Elle a exécuté quelques signes insolites, des croix, des arabesques, et le sang s'est arrêté aussitôt de couler. S'il n'y avait eu que cette fois, Idoua en aurait ri, mais elle a recommencé avec d'autres. On va même la chercher à l'école pour bénéficier de ses miracles. Elle se concentre, elle fait ses petits signes, et hop! le sang ne coule plus. Un peu sorcière, non? Et ce n'est pas tout. Elle prédit l'avenir, pas vraiment, elle sent l'avenir qui lui traverse le corps, c'est du moins ce qu'elle prétend. Au moment de son départ à la chasse elle lui a dit « Tu vas revenir avec un caribou ». « Comment tu le sais? » « Je le sais, là! » Et elle a porté la main à son ventre. C'est pour cette raison qu'on lui a donné le surnom de Two-Tals.

Elle ramène des livres de l'école, elle s'amuse follement à raconter des histoires invraisemblables. Mais il a remarqué depuis quelque temps à quelle vitesse elle change. Mary se fiche de plus en plus de ce qui peut arriver aux autres « Qu'ils saignent! » dit-elle. Mieux que sa mère encore, elle a apprivoisé la maison après y avoir répandu partout son esprit : chaque pièce contient ses signes et ses traces, de petits bouquets de fleurs sauvages, des pierres couvertes de mousse, et des fourrures dont elle s'enveloppe souvent en prenant des airs de mauvaise fille bien au-delà de son âge. Un jour il l'a surprise en train de se bercer dans ses propres bras et, devant son étonnement, elle a prétendu qu'elle le faisait à la place des autres, qui avaient tendance à oublier qu'elle existait autrement que pour arrêter le sang. Drôle de fille, pense Idoua Sequaluk, elle désire rattraper le temps perdu mais elle dépasse les bornes. En donnant le spectacle de son indigence affective, c'est lui qu'elle plonge en plein brouillard affectif. Il la perçoit tantôt comme son enfant, tantôt comme une étrangère qui a usurpé la place de sa fille, la place de sa femme même.

En deux ans à peine elle l'a bousculé si fort qu'il ne s'y reconnaît plus. Elle veut tout, maintenant, tout apprendre, maîtriser les langues, le calcul, l'histoire – « pourquoi ce n'est jamais notre histoire qui est enseignée ? » ; tout savoir en tentant de raccorder les légendes de ses ancêtres, pour lesquelles elle a des tendresses, avec les connaissances modernes « qui n'appartiennent à personne en propre » ; tout posséder, un fusil pour elle seule, des robes, parfaitement, qu'elle n'aura peut-être jamais l'occasion de mettre, en prévision de son mariage, afin qu'elle s'habitue aux toilettes fines, et pourquoi pas une télévision ? Et ce petit traîneau automobile qui glisse sur la neige, qu'ils nomment ski-doo, hein ? Puisque les chiens coûtent trop cher à nourrir, il l'a déclaré souvent, sauf Tuk-Tuk, un chien trop vieux dont Idoua a voulu se débarrasser et que Mary a récupéré *in extremis*, qu'elle enfourche, oh bien délicatement de manière à ne pas peser sur l'échine, qu'elle enfourche comme une sorcière son balai avant de s'envoler vers n'importe où. Alors il se passe des choses, elle voit son avenir apparaître aussi nettement que le soleil du printemps découpe pour la première fois la ligne de l'horizon, ce ne sont même plus des rêves, elle a la sensation de dévaler la pente vers le Sud en suivant la courbure de la terre et de revenir au gré de sa fantaisie se percher sur son pôle, d'où elle embrasse tout d'un seul regard. Tuk-Tuk n'effectue parfois qu'un petit tour de maison, mais cela suffit amplement à Mary pour voir de ses yeux le reste du monde et pour comprendre qu'elle est femme autant qu'Idoua est homme – qu'il essaie un peu de prétendre le contraire! Elle le convaincra bientôt de la libérer afin qu'elle puisse d'elle-même se mettre en marche. Aucune des bêtes connues ne lui fait peur: quand elles menacent, Mary Two-Tals n'a qu'à claquer des doigts et les bêtes se couchent à ses pieds. «Couché, Tuk-Tuk!» Il est vrai que le chien s'écrase aussitôt pour venir ensuite lui lécher les pieds. On l'a nommé Tuk-Tuk à cause de son aptitude à flairer de loin le caribou.

Soudain la bouche d'Idoua exhale un soupir d'aise. À l'horizon surgit le village de Kuujjuaq, comme un troupeau désordonné de maisons regardant dans n'importe quelle direction, et au-dessus du village il y a les yeux de Mary, cette trop mince couche de glace tendue sur le gouffre noir. Sentant la fin de la course, les chiens s'emballent, et c'est à vive allure qu'Idoua laisse à gauche, à droite, des maisons trop muettes pour célébrer sa capture. Il s'engouffre dans la cuisine pour exhiber son trophée de chasse. Il vient quêter son approbation, il attend d'elle le regard qui fera de lui un héros, comme lorsqu'elle était toute petite. Mais elle n'est pas revenue de l'école, elle s'attarde d'ailleurs souvent dehors, elle lui échappe de plus en plus, au bénéfice des autres sans doute. Il détèle les chiens, les attache à la ronde, à bonne distance l'un de l'autre – qu'ils ne puissent pas s'entredéchirer – et il entreprend de ranger soigneusement les quartiers de viande, tels qu'il les a dépecés sur les lieux même de la chasse, avant que la bête ne devienne rigide et glacée. Il ne résiste pourtant pas à la tentation de mettre la tête panachée bien en évidence au milieu du traîneau pour étonner Mary.

Elle pousse enfin la porte et se contente d'un sourire, d'où irradie une franche admiration. Au moment du repas, elle dit avec une pointe de malice « Un peu coriace, ton caribou ! Il était vieux, non ? » Idoua ne répond rien tandis qu'il mâche la viande qu'elle a fait cuire, parce qu'il sait qu'elle a raison. Ce caribou-là était en route pour mourir, et il manque se trouver mal à cause de cela même.

Mary parle de choses et d'autres pour le distraire. La cause de son retard ? Toujours la même, on l'a appelée auprès d'un blessé, mais elle n'y pouvait rien, il a eu le doigt broyé dans un piège, « "Va voir les Blancs", je lui ai dit » et elle poursuit longtemps, presque bavarde, pour finalement déclarer que le caribou était excellent, il était simplement trop frais parce que la chair n'avait pas fini de mourir. Il ne trouve rien à dire, car il sait qu'elle a de nouveau raison. Égarés de tendresse et d'admiration, ses yeux passent sur elle. Il sent qu'elle représente pour lui plus que Luissa, une affection, une chaleur que l'autre a laissée s'égarer. Il ne saurait dire pourquoi elle le tient sous son joug, car elle n'est pas si belle – ses yeux noirs exceptés –, ni particulièrement docile, mais il a beau faire, elle ne lui sort plus de l'esprit. Une idée fixe, d'autant plus étrange qu'il a la certitude d'être fasciné non pas tant par elle que par son propre désir d'elle. Il la possédera donc, il n'y peut rien, même s'il a retardé ce moment pour lui donner une chance, par affection simple. Et le désir de la prendre ne le quitte plus, vertige ou hallucination, qu'il se représente à la fois comme son paradis et sa perte. Le moment venu il se laissera glisser dans la lumière infinie, quitte à s'y brûler jusqu'au néant.

Elle a d'ailleurs depuis quelque temps une façon de le regarder qui lui traverse le cœur et, plus que le ferait une amoureuse, le transforme en jouet qui attend la main humaine pour se mettre à danser. Il n'a connu aucun regard de femme capable de le jeter du côté des proies – sauf celui-là qui le dépossède de son rôle de père et le rabat vers la meute hurlante. De son côté, elle considère qu'il ne la voit pas vraiment, que ses yeux passent à travers elle, comme s'il fixait quelque chose au-delà de son corps pour aller rêver ailleurs. Elle ne s'y trompe pas puisqu'elle lui demande souvent «Tu regardes quoi, au juste?» et il répond «Toi», ce qui n'est pas un mensonge puisqu'il la voit, elle, mais sur une autre scène. Elle n'en souhaite que davantage s'ériger en obstacle devant son regard, proclamant de tout son corps qu'il ne passera pas outre.

Au moment de servir le thé, elle vient derrière lui et glisse ses bras autour de son cou. Toujours dans la même posture d'amoureuse, elle dessine

sur son épaule une série de petits signes cabalisti-
ques, comme si elle voulait le guérir de quelque
chose. Il est au comble du bonheur, projeté par ce
geste hors du temps, dans l'indifférence du paysage, dans la demi-nuit qui ne finira jamais. « Je te
vois dans la neige. Tu es devenu de la neige. » Elle
a dit cela sur le ton du constat, sans la moindre
émotion, ignorant qu'elle était en train de chiffon-
ner son rêve. « Une vision, hein ? »

Surgit l'image obsédante du caribou qui marche
vers le nord, à contre-courant de la vie. Il sait
maintenant que c'était bien vers la mort que marchait la bête. Et bientôt il marchera lui aussi vers le
nord, à moins que Mary ne consente… Dans son
esprit il n'y a aucune place pour le doute : sa survie personnelle dépend de la possession de Mary.
Elle lui fait remarquer tout à coup qu'il s'est mal
lavé les mains : un peu de sang séché est toujours
collé à la lunule de son index.

Le soir même il entre dans sa chambre sans
frapper ni prévenir. Si elle ne l'attendait pas, elle
ne fait pourtant rien pour le dissuader. Il la soulève, elle ne pèse pas plus qu'un minuscule glacier
sur l'épaule de la mer, et elle se met à rire d'un rire
aigu, saccadé, venu tout autant de la surprise que
du plaisir de voler. Il la dépose enfin dans le désordre du lit, elle est un peu hébétée par la fin
abrupte du vol, inquiétée surtout par le sourire
crispé de son père qui l'embrasse et commence à
lui retirer ses vêtements. Dans ses yeux elle voit la
balance sur laquelle est posée sa vie, mais elle ne
pèse plus rien, sans doute parce qu'elle a trop

souvent suspendu son poids pour faciliter la tâche à Tuk-Tuk et favoriser l'envol. Après des baisers par tout le corps qui arrachent à Mary de nouveaux rires nerveux, il la prend. Elle demande « Tu m'aimes ? » au moment où il la pénètre avec toute la délicatesse dont il est capable, déjà rendu fou de se prendre à demi lui-même, aveugle de sentir cette peau trop lisse qui lui brûle la main, mais il ne sait rien répondre. Bien sûr qu'il l'aime, elle est sa fille, elle a des dons, elle est merveilleuse, et encore bien plus. Son esprit bute contre la seule raison : sa condition d'homme, le front contre ses limites, et sa mort à l'horizon. Il maudit l'impossibilité d'être autre chose, fût-ce un animal, dont l'âme a le mérite d'être muette et de ne pas faire mal.

Et quand elle demande « Tu m'aimes ? », elle veut dire : Tu m'aimes pour moi, parce que je suis séduisante, parce que nous sommes amoureux. Elle a clairement conscience d'avoir pris en quelques mois la place de sa mère, mais elle n'avait jamais rêvé de la prendre à ce point, pas de façon précise, ou plutôt si, mais dans le rêve toujours. Elle n'entend que la respiration lourde de son père et le vent qui se déchire à l'angle de la maison, elle est déjà absente de son corps et le vent lui paraît le hurlement de ce corps étranger. Quand le plaisir le foudroie, lui, et l'envoie rouler du côté de la nuit, elle sent une palpitation comme le piétinement d'un troupeau lointain jusqu'au haut de sa poitrine. Elle ne pleure pas, elle sait qu'elle ressemble à une bête que le couteau ouvre dans l'ombre, tout l'espace de son corps sacrifié.

Promenade   Mercredi 5n

Je ne sais plus où j'en suis. Cette scène m'a remué, à cause de l'affection que je porte à Two-Tals bien sûr, mais aussi parce que je voudrais comprendre. «Personne ne t'empêche de rêver!» dirait un certain douanier de ma connaissance avec un brin de cynisme. En effet. Car j'ai la certitude qu'il ne servirait pas à grand-chose d'aller recueillir les confidences de Sequaluk et de sa fille: elle ne dirait rien, au mieux elle me rirait au nez. Et Sequaluk me recevrait à coups de fusil.

Si nous nous tournions plutôt vers la justice, pour voir. Les juges sortent parfois de leurs grandes manches des cartes inédites, bien que la plupart du temps ils condamnent sans retour après une longue incursion du côté de la morale. «Vous êtes le déshonneur de la race humaine!» s'exclament-ils, comme s'il restait quelque honneur à souiller, mais grands dieux dans quel coin du monde? Il va de soi qu'à peine saisi de la cause, un juge volant — c'est ainsi qu'on les désigne dans le Grand Nord — nous mettrait Sequaluk à l'ombre et confierait sa fille à une travailleuse sociale. Cela est sans intérêt. Ce qui importe, ce sont les motivations de Sequaluk, que les juges appellent des mobiles, et sur quoi ils passent à l'épouvante: les mobiles leur servent habituellement à transformer avec quelque vraisemblance un prévenu en coupable. Pour ma part je voudrais au contraire transformer le coupable en prévenu, c'est-à-dire l'amener à réfléchir à ses motivations. «Personne ne t'empêche de rêver!»

En effet, Sequaluk parlera. Il suffit de le remettre en scène, dans le seul lieu où il soit vrai. Les revoici donc, père et fille, damné et meurtrie, mais lucides.

Mary pourrait dire à Sequaluk «Tu me sacrifies, tu me tues pour vivre au-delà de ton règne. Quelle idée absurde que de vouloir vivre encore et toujours, comme si ta vie n'avait pas suffisamment eu lieu!» Mais elle ne dit rien, car elle ne connaît pas les raisons de son père.

Et lui, il répondrait:

— Si j'ai la vie, où est le scandale que je veuille la prolonger par tous les moyens?

— Tous les moyens? Tu viens de le dire, je suis ton moyen!

— J'ai dit tous les moyens, oui.

— Il n'y en avait pas d'autres?

— Seulement ce bonheur total, ce malheur absolu.

En réalité c'est leur silence qui parle, le silence qui cherche à comprendre, celui qui condamne ou bénit.

Il a voulu la consommer, au sens précis qu'elle soit en lui nourriture mais devant lui vivante encore; il a tenté de retrouver la source de l'unité perdue, de s'approprier deux identités sexuelles, deux âges pour déjouer le temps et s'emparer de force de l'avenir. Il voit dans son vertige le seul passage possible vers une appréhension matérielle de l'immortalité. L'idée du malheur absolu lui vient de la certitude que son gain est le résultat d'un kidnapping, est à soustraire en totalité du temps de Mary comme un espace creux qui s'agrandira aux dimensions de son avenir.

— Pourquoi ? demande-t-elle encore.

Mais elle ne le condamne pas. Elle suppose qu'il n'a pas pu résister à la séduction qui émane d'elle, puisqu'elle est femme presque formée, attentive à l'autre, donnée. Avec sa manie aussi d'anticiper sur le temps qui viendra, de court-circuiter l'avenir ! Elle est persuadée que sans ces qualités particulières, rien n'aurait eu lieu, et il aurait continué de la regarder comme une petite fille à éduquer, un fardeau toujours. Cette réflexion lui est fatale puisqu'elle la rend responsable de la conduite de son père. Elle songe néanmoins qu'à compter de maintenant il la tiendra pour femme — elle accédera à la liberté adulte, avec droits et privilèges. Mince compensation pour avoir dû renoncer à son rêve de conquérir le monde et mis radicalement fin à la possibilité même du bonheur. Autant dire que Two-Tals n'existe plus.

De son côté il ne peut pas expliquer qu'il a succombé à un mythe, directement lié à son désir de se survivre. Il possède une manie égale à celle de Two-Tals de vouloir jouer avec le temps. Au lieu de se prolonger dans une conscience autre par les voies de la reproduction, il visait à s'emparer de l'être issu de lui pour se retrouver du coup à la case départ. En cela il est exactement sur la même longueur d'onde que tous ceux qui souhaitent se reproduire par clonage, ou qui s'agrippent des quatre membres au bord du néant, qui supplient qu'on les prolonge par tous les moyens, la magie de la médecine représentant le moyen légal, bref qui refusent l'idée de mourir. Une idée riche pourtant ! Alors que les siècles passés considéraient la mort comme un phénomène naturel, quand ils ne s'en moquaient pas ouvertement pour en conjurer le maléfice, le nôtre la juge une tragédie et croit confusément que la science y pourvoira. Peut toujours courir. « Mais rien n'interdit de rêver après tout… »

Sequaluk invoque même à sa décharge le fait qu'à vivre continuellement dans un espace lisse, blanc de surcroît pour masquer tout repère, l'idée de frontière a disparu de sa culture, n'en a jamais fait partie à vrai dire, et que les notions de générations et de parenté s'en trouvent brouillées. Où est le mal si les raisons qui fondent le tabou de l'inceste n'existent plus que sous la forme inconsistante d'un interdit civil ? Et quelle société se charge de le rappeler à l'ordre ? Il pourrait même ajouter qu'à partir du moment où la culture occidentale a terni sa propre culture, en en sapant les principes fondateurs, tout est devenu égal, les valeurs s'y inventent à mesure, de sorte qu'une louve n'y retrouverait pas ses petits. Alors à d'autres le crime ! On l'a même incité à aller dans cette direction : il pense à lui d'abord, il ne fait que reprendre pour soi ce qu'il a contribué à mettre au monde.

— C'est bien ce que je disais, tu me considères comme un moyen, c'est-à-dire ta chose.

— Pas tout à fait. Plutôt comme l'objet qui me permet d'augmenter ma capacité d'être.

Alors là, Sequaluk, il me semble que tu dérailles un brin et que Mary a raison. Ton MOI a pris des proportions inquiétantes, tu ramènes tout à toi, à ton désir de durer quel qu'en soit le moyen ou le prix. Je vais te faire un confidence : tu n'es pas le seul. Tu sais que Walt Disney a soumis son corps à la cryogénie parce qu'il refusait de quitter ce monde ou de mettre fin à sa carrière ? Il s'est dessiné une porte de sortie, au cas où... comme il dessinait des portes magiques sur des parois de roc solide. Depuis le romantisme, l'inflation du MOI n'a plus de limites, et ne crois-tu pas qu'il vaudrait mieux désigner ce que nos sociétés avancées nomment les « droits de la personne » sous l'appellation plus juste de « droits du MOI » ?

— Encore une tirade sur l'égoïsme ?

— Pas du tout. Je suis pour l'égoïsme. Mais si on accepte le droit au bonheur, le droit à la rentabilité économique, le droit d'être parent, pourquoi ne pas accueillir le droit à l'immortalité ? Tout cela ne découle-t-il pas du même principe ?

— D'accord, d'accord, mais en dépit de tout, l'immortalité ne m'est pas rendue.

— Il me semble en effet que tu n'as pas beaucoup l'air d'un immortel ! Pour en comprendre la raison, il suffit de retourner au Paradis terrestre, quand le serpent promettait à Adam et Ève « Et vous serez comme des dieux ! » Ceux-là ont fait tout ce qu'il fallait pour y parvenir, mais nous ne sommes pas devenus des dieux, de toute évidence. Ce fut la première promesse non tenue. Il y en a eu d'autres. Quand tes yeux laissent entendre à Two-Tals qu'elle est une femme, tu promets plus que tu ne peux tenir. Tu portes ton enfant au

pouvoir pour ensuite lui obéir en tout, sans prendre garde que tu la dépouilles de son droit
d'enfant, c'est-à-dire celui d'assumer progressivement la responsabilité de ses actes, en même
temps que tu la prives de sa contrepartie : le droit à
l'innocence.

    — Tu exagères, proteste Sequaluk.

    — Peut-être.

Nous nous réfugions dans le silence, réparateur,
dit-on. Et j'aimerais tout réparer sur-le-champ, que
Sequaluk n'ait pas eu peur de mourir, que Two-Tals
ait toujours les yeux braqués sur l'avenir… Bref
que rien n'ait eu lieu, et que même l'histoire de
Sequaluk n'existe pas. C'est ce moment de silence
que choisit un porteur de voix pour s'exprimer. La
voix dit « Connaissez-vous un seul mortel qui
résisterait à la tentation de s'emparer de la vie d'un
autre, si ce meurtre lui assurait l'immortalité ? »
Mais qui a parlé ainsi, en faisant preuve d'un
grand sens pratique, un peu borné tout de même ?
Ce doit être mon douanier.

Il est vrai que Mary Two-Tals aurait pu également, un soir d'extrême lucidité qui n'appartenait
pas à son âge, planter son couteau dans le cœur
d'Idoua Sequaluk et s'étonner ensuite qu'il n'y ait
pas plus de bruit dans sa bouche, et si peu de sang
sur sa poitrine.

    — Tu avais oublié ton don, sorcière ! aurait-il dit.
Il t'est impossible de donner la mort.

Trois ans plus tard, Sequaluk court toujours derrière ses chiens en rentrant de chasse. Il songe
encore à elle, mais il a moins hâte de rentrer

depuis que Mary lui brandit sous le nez un fils, qui lui ressemble trop et trop peu, ni mort, ni vivant, un fils pour rien, un fils chargé malgré lui de le rayer de la face du monde. Idoua se demande s'il ne poursuivra pas sa route indéfinie vers le glacier éternel.

Et Mary se demande au même moment « Il est où le Paradis promis ? Au Sud certainement puisqu'il n'y a ici que la glace ! » Elle enfourche Tuk-Tuk – son balai de sorcière –, qui a perdu quelques dents mais refuse toujours de mourir, et elle vole longuement longuement vers le Sud…

Tableau II

La laine

Miroir. Marie Agnelle s'y regardait et ne trouvait pas motif à se plaindre, sauf ce sourire qui se déclenchait à tout moment comme malgré elle et dont l'onde parcourait inégalement son visage, tantôt le côté droit, tantôt le gauche, si bien qu'elle en retirait la désagréable impression de n'être heureuse que par petits morceaux. Elle décida de ne plus avoir recours aux miroirs excepté pour les obligatoires séances de maquillage, qu'elle aimait tout de même prolonger assez longtemps pour cueillir au passage quelques frissons de contentement. Elle n'avait pas non plus à se plaindre de son mari, Édouard, qui faisait dans les assurances et qui l'avait bardée de protections jusqu'au septième ciel, des assurances sur sa vie à lui, pour son bénéfice à elle. Ceci ou cela, disait-elle, que m'importe puisque tu n'y seras plus ! Tu n'aurais pas plutôt une assurance sur le bonheur ?

Chaque fois qu'ils avaient évoqué la possibilité d'avoir un enfant, Agnelle s'était rebiffée : elle n'en

sentait pas vraiment le besoin et d'ailleurs, est-ce
qu'il n'était pas d'accord ? un enfant ne serait
d'aucun secours s'ils cessaient de s'aimer. « Mais on
s'aime, il me semble » protestait-il. Oui, bien évidemment. La question n'était pas là. Mais Agnelle
était assez évoluée pour départager l'amour et le
devoir de procréation, tout de même. D'ailleurs il
ne pouvait pas comprendre une chose très simple :
ses aïeules en avaient assez bavé avec la famille,
elle n'allait pas tomber dans ce piège énorme ! Ça
n'était plus de notre siècle, de toute manière ! On
avait de quoi s'occuper ailleurs. Puis elle ajoutait
invariablement : « Mais si c'était une fille, je veux
bien. » « Une gentille fille, blonde, avec de grands
yeux bleus, tu veux dire ? » « Oui, exactement. »
« Une copie parfaite de toi-même, quoi ! » « Peut-être,
et puis après ? Donne-moi une autre bonne raison ! » Toujours ce défi, à quoi il répondait : « De
cette façon, je serai doublement amoureux ». Car il
voulait couper court à sa tirade sur ses trois ventres : le premier pour entrer sans effort dans sa
robe bleue moulante ; le second pour accueillir le
plaisir quand il s'y posait à coups d'ergots ; le dernier pour se reproduire, et comme le mot l'insinue,
sous les espèces d'une fille, tant qu'à y être. « Bien
sûr. » Édouard voulut dire à sa femme qu'il la trouvait étrange de tant vouloir une fille, pendant
qu'en Chine on les jetait. Elle n'aurait qu'à aller
s'en chercher une… Il ne dit rien car il savait que
Marie Agnelle refuserait net ce compromis qui
niait trop évidemment sa capacité d'engendrer son
double.

Après les essais d'usage, les reprises et les stratégies de contournement, ils mirent en route un
enfant et clamèrent à tout vent qu'elle serait belle,
géniale et d'une telle sensibilité qu'elle chanterait
avant de parler. Car ils ne doutèrent pas une seconde que l'enfant serait de sexe féminin, Édouard
assumant pour sa part qu'un tel désir, un telle
ardeur à vouloir quelque chose, ne pouvait rencontrer que son accomplissement. Au quatrième mois
de la grossesse, lorsqu'ils apprirent qu'il s'agissait
d'un garçon, Marie Agnelle connut sa première
défaillance. Elle se surprit à tapoter son ventre en
murmurant « le petit maudit ! » comme si l'enfant lui
avait joué un sale tour en changeant de sexe, et
elle se mit à user de son ventre de plaisir avec une
fougue qui menaçait de décrocher le fœtus. S'il
peut passer ! songeait-elle, pendant que son mari
tirait profit de sa nouvelle ardeur. Elle retrouva son
calme quelques semaines plus tard et décida
d'appeler son fils « Jean », une manière de dire
qu'elle n'avait pas envie de chercher plus loin.
« Jean sans Terre ! » ne put s'empêcher d'ironiser le
père. S'il avait su, il aurait lavé de sa bouche et
effacé de son cerveau cette parole prophétique.

Le premier sourire de Jean refléta exactement
celui d'Agnelle : il en avait l'éclat cristallin et l'ins-
tabilité. On lui fit une grande fête, il y eut des plats
et des caresses, des ballons, des soupirs d'amour.
Mais il tarda à montrer de nouveau qu'il savait
sourire.

À cette époque, Édouard taquinait la transpa-
rence de Marie Agnelle, suivant à la trace le galop

des émotions qui froissait sa figure et s'enroulait même autour de son cou en une traînée rougeâtre ; il repérait aussi la petite onde qui forçait parfois son sourire à dire « Je suis heureuse », en dépit des évidences contraires. Édouard était donc intimement persuadé que la vie lui était légère : cette façon qu'elle avait de planer au-dessus des choses et des événements, comme si elle eût appartenu à un autre monde, régi par le parti pris du bonheur, le bonheur de vivre, le bonheur de respirer, le bonheur d'être et celui même de dormir. Épanouie dès l'âge de vingt ans sans qu'aucune expérience amoureuse ne puisse motiver ce résultat, elle savait qu'elle serait vieille du jour au lendemain, comme ces fleurs de serre forcées de mûrir trop vite et dont les pétales tombent d'un coup, au moindre effleurement d'un doigt curieux. En fait, sa sensibilité la consumait de l'intérieur et l'obligeait à compenser cette perte de substance par l'exagération des vertus de la légèreté. Quand Édouard lui faisait remarquer qu'elle rougissait pour un rien, elle répliquait « C'est mon masque », comme pour détourner l'attention de son mari de sa propre fragilité et transformer en maîtrise du monde ce qui n'était qu'irruption du monde en elle.

— J'aimerais te voir fâchée !

— Pourquoi je me fâcherais puisque je suis heureuse ?

Il eut fort envie de lui donner des raisons de manifester sa colère. Par exemple rentrer à des heures impossibles dans son bungalow de banlieue, prétextant qu'il avait perdu la clé, oublié l'adresse ; ou s'endormir sans dire bonne nuit, comme un ours affalé sur le dos ; ou ne plus lever le petit doigt pour les travaux ménagers ou l'entretien de sa propriété, parce que ces tâches ridicules le travestissaient en une sorte de gamin obligé de trimer dur pour bien mériter son argent de poche et la considération de sa mère. Il n'en fit rien, bien sûr, mais il sut qu'il avait déjà commencé à fuir. Il n'en pouvait plus du bonheur d'Agnelle, il lui semblait qu'elle touchait toute chose du bout des doigts, non par peur de se salir mais par crainte de l'égratigner, y compris sa propre chair, et lui-même glissait de plus en plus vite à la surface des choses, au risque de déraper pour de bon − « L'argent est un pavé glissant », dit-elle un jour sans autre explication. Quand elle avait connu Édouard, elle n'aurait pas misé dix sous vaillants sur son avenir parce qu'elle n'avait pas saisi le principe qui rend la vente d'assurances plus sûre que le roc de Gibraltar. C'est qu'on nous débite nos futurs sinistres et notre propre mort en petites tranches mensuelles, et comme il y a peu de chances que ces risques-là s'évanouissent, Édouard n'était pas près d'aller au chômage. Par contre Marie Agnelle avait une façon de plier et de négocier du même coup son destin qui promettait de tenir longtemps la route ! Édouard ne rejetait pas l'harmonie générale dont l'avait entouré sa femme ni n'avait le goût des sensations fortes à proprement parler. Mais il craignait de perdre pied devant trop de douceur, il se sentait régresser, il avait l'impression de s'endormir, bercé, et l'angoisse de se réveiller comme un nouveau-né dans l'atone, dans l'indistinct, sur une plage qui n'est pas au bord de la mer, en un lieu tel qu'on ne peut le saisir avec la conscience, l'emportait tranquillement sur son bonheur.

Édouard se mua d'abord intérieurement en bête rétive, dont il ne laissa émaner que quelques vagues indices : une mauvaise humeur soudaine qu'il tentait ostensiblement de contrer, le fait de lever les yeux au ciel en haussant les épaules quand Agnelle s'avançait sur le terrain maréca-geux de sa théorie générale du bonheur. Il n'en fal-lut pas plus pour que cette dernière crût et fît savoir à son entourage qu'il y avait sans doute eu substitution de mari, comme dans les films d'extra-terrestres. On ne peut être tendre et délicat pen-dant des années et tout à coup ne plus savoir pro-noncer le mot merci, ne plus oser tendre la main à son fils qui apprend à marcher, ne plus être ca-pable de sourire même le jour de son anniversaire. Quelqu'un le lui avait changé, elle ne pouvait se résoudre à penser quelque chose, et encore moins quelqu'une, car ce bonheur somme toute ordinaire, elle y avait droit, un droit strict, que ses qualités personnelles lui méritaient hors de tout doute. Selon sa philosophie de la vie, tout était pesé dans une sorte de grande balance qui rendait toujours aux humains dans le plateau de gauche l'équiva-lent de ce qu'ils avaient eux-mêmes déposé dans celui de droite, et rien ne pouvait lui faire douter de l'existence de ce principe élémentaire de justice. Édouard n'était pas n'importe qui, elle l'admettait aisément, un homme bien à vrai dire, assez cultivé et fantaisiste pour nourrir sa curiosité et la pousser elle-même à se dépasser. Comme elle s'était entourée de sécurité matérielle, elle s'entourait de belles choses, quelques tableaux des peintres à la mode, des meubles design rares, dont les lignes élancées avaient des mouvements d'ailes ; elle possédait aussi une collection de disques choisis, Glenn Gould plutôt que Claudio Arrau, Brahms préférablement à Beethoven, trop sentimental tout de même. Édouard ne la conseillait pas vraiment, il suivait plutôt son parcours artistique en regardant par-dessus son épaule.

Leur monde commença à basculer quand ils découvrirent, lentement mais avec un désespoir de plus en plus net, que Jean ne parlait pas, ni à deux ans, ni à trois ans même. Cet enfant-là avait l'air de tout comprendre, plus qu'il n'aurait dû à son âge, mais il n'avait pas envie d'articuler un seul mot. Déjà trop occupé ailleurs, le langage n'était pas son affaire, il n'allait pas perdre son temps à ces ridicules torsions de bouche mêlées à des claquements de langue ! La défection de celui qui devait être génial laissa les parents pantois et leur vantardise se mit à leur brûler les lèvres. Ils se demandèrent tour à tour quel pouvait bien être l'idiot qui s'était permis de brouiller à ce point les cartes. Quand il comprit que l'enfant ne parlerait pas, Édouard eut tendance à le renier, se désintéressant de ce petit être inutile. Il eut l'indélicatesse de dire à Marie Agnelle « Ton enfant est muet. » Elle reçut la phrase comme une gifle. S'il avait dit « Notre enfant » à tout le moins, elle aurait pensé qu'il pou-

vait compatir, et le mot « muet » lui parut tellement
exagéré, d'autant qu'il provoquait déjà en elle une
appréhension excessive qu'elle préférait ignorer.

— Tu me rends responsable du fait qu'il ne parle
pas encore ?

— Il n'y a pas de responsable, c'est comme c'est.

— Mais il parlera.

— Tu préfères ne pas voir ce qui risque de te
contrarier.

— Je t'ai vu faire, tu sais.

— Tu m'as vu faire quoi ?

— Le lâche ! Tu lâches Jean parce qu'il n'est pas
comme tu l'aurais souhaité !

— Il est comme tu le désirais peut-être ?

Édouard avait l'habitude des froids calculs. Il
avait pourtant mal mesuré son geste : en se cou-
pant du fils, il rejetait la mère, qui put enfin dire
avec vraisemblance « On me l'a changé », on a
changé mon mari en cette espèce de salaud incapable d'assumer la moindre responsabilité. Elle
pensait dru, Marie Agnelle ! et en retour son mari
se transforma en l'animal retors qu'elle appréhendait. Il en résulta une sourde guerre, toute en sous-
entendus, en demi-sourires forcés, en compromis
visiblement consentis pour le bien supérieur de
Jean. Elle marquait des points à coups de silence et
de regards vertigineux du fond du gouffre. Il se
vengeait en la laissant couler à pic dans la plus
parfaite indifférence.

« On me l'a changé ! » Et ce n'était plus un vrai
sourire qui galopait sur son visage : il était accompagné d'un troupeau de minuscules bêtes noires

qui s'évadaient soudain du côté des tempes. Alors elle les frictionnait avec vigueur pour en déloger les bêtes et se secouait violemment pour reprendre ses esprits. Il ne se gêna plus pour « refaire son bonheur ailleurs », comme elle le lui avait suggéré.

Marie Agnelle tranchait vite quand son bien était en cause. Édouard n'apportait pas ce qu'il avait promis, elle ne le retenait plus, qu'il aille se faire voir ailleurs ! Elle se libérait. Et quant à la procréation, elle en avait vite fait le tour, croyait-elle. Elle exigea de son gynécologue une ligature des trompes : puisque la nature avait cafouillé une fois, elle ne lui laisserait pas la chance de recommencer, et tant pis pour les démographes ! Qui prétendrait encore qu'on est passé de douze enfants par famille à un seul par pur caprice ?

Un soir, après des discussions stériles avec la mère de son fils, Édouard posa les yeux sur Jean et ce qu'il vit l'ébranla : la béance de la bouche bien sûr, perpétuellement occupée à produire une syllabe muette, mais il perçut aussi dans le regard de Jean une telle détresse qu'il sentit tout son avenir aspiré avec fracas dans ce gouffre sans fond. Il fut convaincu d'avoir donné naissance, dans l'ordre familial, à l'équivalent d'un trou noir cosmique. Il se vit courant à gauche, à droite, queue de veau battant l'air et la mesure en vain. Toutes ses économies y passaient, son travail, ses liens affectifs, ses loisirs, son repos, son équilibre. Sa vie. Le gouffre l'avalait, et si les autres se tiennent à deux mains pour ne pas glisser dans la mort, lui se raidissait de tous ses membres pour ne pas renoncer à l'idée qu'il se faisait de la santé. De son droit à la santé. À la bonne vôtre ! Et à la bonne mienne, Saint-Chrême !

« Saint-Chrême » était son juron des grands jours. Il s'empara d'une petite valise rouge, y glissa quelques effets personnels, ses papiers surtout, et il passa la porte.

Marie Agnelle fit trois petits tours dans sa maison et dans ses meubles avant de se cabrer. Celui-là ou un autre ! se dit-elle. Celui-là n'avait pas été digne d'elle ni de sa grande balance, alors tant pis pour lui ! Puis elle se mit à casser tout ce qui lui tombait sous la main, les assiettes et les verres demeurés sur la table, et le cadre qui les représentait pompeusement en jeunes mariés, lui une rose rouge à la boutonnière, oh l'amoureux fou ! et elle, une rose blanche à la taille, oh sainte Agnelle ! Et tandis qu'elle s'acharnait à piétiner la vitre, Jean laissait couler ses larmes silencieuses. Il était assis tout contre le rhododendron qu'il semblait protéger de son corps. Elle le regarda et le vit comme un obstacle sur sa route. Pendant une fraction de seconde elle rêva qu'il n'existait pas. Il n'y avait au pied de la plante qu'une poupée de chiffon un peu fripée. Marie Agnelle s'habilla et sortit prendre un verre en ville. Et pendant qu'elle conduisait, elle riait, elle pleurait, car elle avait le sentiment d'avoir tué son fils. Elle avait oublié en outre d'appeler la gardienne. Mais si seulement il n'était pas là, elle pourrait envisager la suite de sa vie sans trop de problèmes ! Et de nouveau la meurtrière en elle la fit frissonner, et le galop de la honte gagna son visage. Elle fit demi-tour et rentra à la maison.

Mais qu'est-ce qu'il a, cet enfant ? À quoi il joue ? Il n'avait rien, on ne savait pas vraiment, on supposait qu'il était légèrement autiste, sans raison. « Par pure méchanceté ? » risqua Marie Agnelle. Car elle niait que cela fût possible, non pas le diagnostic mais le fait que ce malheur lui advînt à elle.

— *Sorry !* fit celui qui l'avait pris en charge, un anglophone, le seul spécialiste disponible à la ronde.

— D'accord, d'accord, mais…

Elle ne comprenait pas pourquoi, justement, dans la grande balance de sa vie, cela pût la frapper, elle, comme pour la punir, aurait-elle juré, d'avoir mordu trop négligemment dans la pomme du bonheur. Car on n'en était plus à ces billevesées judéo-chrétiennes laissant croire que tout bonheur doit se payer par une égale somme de malheurs. Non, sa balance à elle était différente. Le bonheur, on le méritait quand on avait pris les moyens de le gagner, et rien n'aurait dû intervenir pour changer cette comptabilité première. C'était un droit, point. Mais un droit tout de même inégalement réparti, consentait-elle à admettre, appartenant à ceux et celles qui l'avaient habilement négocié : il n'avait rien d'une grâce qui vous tombe dessus par hasard.

À la pensée qu'elle aurait pu mal négocier, Marie Agnelle se sentit terriblement humiliée. Elle préféra chercher ailleurs les coupables, au premier chef Édouard que son métier entraînait souvent au loin et qui n'avait pas eu la clairvoyance de compenser par une ardeur exceptionnelle ses trop nombreuses absences. Au lieu de cela, il s'était contenté de demander : il rentrait au port pour se reposer et se faire servir. Et puis l'enfant, cet enfant exceptionnel, n'avait pas toujours été de bonne foi sans doute, venant compliquer la situation comme à plaisir !

À partir de ce moment elle eut pour lui des tendresses débordantes, qu'un observateur impartial aurait pu qualifier de surfaites, comme si elle était en service commandé. Elle le serrait de près, elle le serrait dans ses bras, elle l'écoutait longuement respirer dans son sommeil, mais comme une clinicienne qui poursuit l'étude attentive d'un objet scientifique. Quand elle le touchait, il y avait entre la peau de l'enfant et la main d'Agnelle l'espace infime d'une question.

Une semaine après qu'Édouard eut passé la porte, Jean devint fébrile et se mit à produire des mots muets, des phrases aphones qu'il accompagnait de grands gestes et de regards d'agneau pour capter l'attention de sa mère.

— Dis-moi, qu'est-ce qui se passe ?

— Rien ! dit-il.

C'était son premier mot, un vrai mot, un mot plein. Agnelle tomba à genoux et se mit à pleurer de bonheur. « Il a parlé ! Mon fils parle ! » Elle put enfin reporter toute la faute sur Édouard, ce mari d'occasion qui n'avait jamais vraiment habité avec elle, qui n'avait pas su faire le bonheur d'une femme si peu exigeante ! Et qui avait bloqué le langage dans la gorge de son fils depuis le jour de sa naissance. Elle se souvint de sa mauvaise

blague pour épater ses amis. « Jean sans Terre », ou
sans langue, ou sans rien, où est la différence ?

Elle entreprit aussitôt d'apprendre au muet l'art
de parler. Des mots, des mots comme des cris
d'oiseaux, puis des phrases, des phrases, oh là là !
comme le ruissellement de l'eau sur un toit de tôle.
Il y avait l'enchaînement capricieux des mots, et le
sens, et le rythme. Ce fut pénible, il progressait
pourtant à vue d'œil, on aurait dit qu'il possédait
tout le langage mais en avait réservé l'usage pour
d'autres circonstances, ou pour une autre scène. Il
avançait, il trébuchait, il avançait, et Marie Agnelle
rayonnait, mais elle conservait toujours cette distance de la pédagogue qui ne veut pas trop
s'impliquer de peur d'en souffrir. Il rechuta dans le
mutisme après quelques mois d'entraînement
forcé, puis il consentit à parler de nouveau mais
en économisant désormais ses paroles. Agnelle
détestait qu'il laisse traîner sa langue entre les
dents comme un appendice inutile, alors elle ne
pouvait s'empêcher de dire « Jean, rentre ta langue,
le chat va la manger ! », mais sous la pression de
l'agacement elle criait parfois « Avale ta langue !
Envale-moi ça ! » Bien sûr, il la comprenait. S'il
avait pu seulement en avaler le quart, sa langue
aurait cessé de lui tourner dans la bouche comme
une patate chaude et il parlerait la langue des
anges avec les anges !

Un jour, n'en pouvant plus de répéter « Avale ta
langue », Agnelle lui administra une petite claque
sèche sous le menton, sous la margoulette, tiens !
tu vas me faire disparaître cette chose ! Et pourquoi

veux-tu laisser croire que tu as trop de langue ? Et clac ! Elle croyait avoir mesuré son geste, elle entendit pourtant les dents grincer et vit un bout de langue tomber sur le parquet. Horreur ! Jean avait la bouche pleine de sang. Elle s'excusa infiniment, elle pleura vite toutes les larmes qu'elle avait retenues jusque-là, puis elle emmaillota la figure de Jean dans une serviette et courut à la clinique externe. « Un petit accident, dit-elle, il s'est tranché la langue avec les dents. » « Garnement ! » dit le médecin de service qui fit trois points de suture et prévint « Il ne pourra pas parler pendant une semaine… mais ensuite il devrait recouvrer son vocabulaire. » Son vocabulaire ? Agnelle revint à la maison, s'installa au chevet de Jean et s'excusa encore une partie de la nuit, non mais quelle mère elle faisait ? Qu'est-ce qu'il lui avait pris ? Aurait-elle voulu, par ce geste d'impatience, régler de vieux comptes, sans même le savoir ? « Ça fait mal ? » demandait-elle de temps à autre, et le gamin répondait invariablement « Aâ, aâ », si bien qu'elle ne sut pas s'il disait oui ou non. Elle finit par s'endormir sur son chagrin.

Agnelle vendit la maison de Longueuil, qu'Édouard lui avait laissée, une manière d'effacer sa dette sans doute, ou de couper les ponts définitivement. Car il n'avait pas refait surface depuis la rupture, il s'était contenté d'une courte lettre dans laquelle il disait lui laisser la maison et tout ce qu'elle contenait. Il avait joint un acte notarié. Sacré vendeur d'assurances ! C'était lui qui avait toujours résisté aux choses simples de la vie ; qui avait assuré sa famille contre l'incendie, les refoulements d'égouts, les tremblements de terre, le vandalisme, le vol, tout, n'importe quoi. Et pour elle, il avait poussé les enjeux au maximum : une fois morte, elle valait 200 000 dollars, car c'est à ce prix qu'elle-même évaluait l'injustice.

C'était lui, prophète de malheur, qui avait toujours la face longue comme s'il ne voyait dans l'avenir que la part atroce, la part tragique, et se mêlait de la prophétiser sous forme de proverbe. Ah ! il avait des visions pesantes et faites sur mesure pour saper le moral ! Mais elle avait su lui résister, ne prêter qu'une oreille distraite à ses complaintes. Au début de son mariage pourtant, cette qualité d'Édouard avait achevé de la séduire. Il avait de la clairvoyance et une capacité d'analyse hors de l'ordinaire, et il savait compter, ce qui ne gâtait rien. Son avenir à elle lui parut alors engagé sur une voie royale, ce dont elle n'allait tout de même pas se plaindre puisque cette certitude confortait en elle l'idée qu'elle appartenait à la race bénie des gens heureux.

Avec les économies réalisées à la vente de la maison et grâce à un petit travail à la bibliothèque de la ville de Montréal, elle pourrait tenir le siège jusqu'à la maturité de Jean. Elle emménagea donc rue du parc Lafontaine. « Ta cour ! Ton terrain de jeu ! » dit-elle à Jean en désignant le parc, tandis qu'un troupeau de paons coloriaient sa figure. Elle lui montra les arbres, en tâchant qu'il retienne leurs noms, les oiseaux, l'étang où nageaient des canards, « les cygnes de monsieur le maire ! » Tout cela lui parut dessiné sur mesure pour elle et son fils.

Elle avait mal évalué le quartier, pourtant si proche de la bibliothèque municipale, des écoles et des universités. Dès qu'elle lâchait la vue du parc pour s'enfoncer dans les rues, elle avait affaire à de drôles de bougres, qui la déshabillaient des yeux en lui vendant une orange, qui salivaient en lui tendant une livre de steak haché, et à des enfants qui avaient moins les yeux rivés sur l'avenir que sur les plis de sa jupe. Elle continua d'imaginer Jean folâtrant au parc, à la manière de ces papillons insouciants dont le vol erratique finit toujours par dessiner une fresque impressionnante. Il irait coûte que coûte au parc, pour goûter aux fins plaisirs des écologistes! Elle l'y envoya donc de force un samedi matin écrasé de soleil, et tandis qu'il s'extasiait devant l'énormité d'un érable, quelqu'un lui murmura doucement à l'oreille, en la lui tirant un brin, «Rentre chez toi, p'tit con, les pédés vont te bouffer!» Il rentra chez lui et ne voulut plus aller au parc, sans expliquer à sa mère que d'étranges bêtes menaçaient de le dévorer.

Quand il eut six ans, elle l'inscrivit à l'école publique: intelligent comme il était, il pourrait se débrouiller! Mais l'école n'était pas équipée pour améliorer rapidement son sort. Sa discrétion verbale déplut: «Hé, twit, le chat t'a mangé la langue?» demanda, le premier jour, celui qui voulait devenir son ami. Jean sourit en faisant signe que oui, et il comprit ce jour-là que la langue servait aussi à mentir. Mais à cause de son obstination à ne pas engager le dialogue les jours suivants, il devint le suspect numéro un et reçut un petit poing dans l'œil droit, puis un autre sur la lèvre, puis il roula dans la poussière. Il se mit à crier «Rien, rien!» pour séduire ses agresseurs, car il se souvenait de l'effet magique de ce mot sur sa mère. Or les gamins crurent qu'il en redemandait : ils le battirent comme du blé dur qui ne veut pas rendre sa farine. Quand il rentra chez lui, sa mère eut l'air de souffrir bien plus que lui-même des ecchymoses, des bosses et des griffures. «Et la langue?» demanda-t-elle. Il se l'était mordu comme de raison et la chose en gonflant prenait une place démesurée dans sa bouche. Elle s'affaira au téléphone, elle pleura quelques vraies larmes, fit longuement tremper l'enfant battu dans la baignoire ; après quoi elle retrouva son sourire en lui annonçant qu'il changeait d'école. Il irait à Stanislas où il n'aurait pas besoin de parler, où on le comprendrait : l'école privée respectait mieux les talents des enfants exceptionnels. Il y resta six ans, choyé des dieux pédagogues qui lui mâchaient sa nourriture intellectuelle avant de la lui déposer dans le bec, choyé des diables de gamins qui avaient compris son problème. Il était aux anges, ses affaires au poil, sauf la tuque de laine dont il s'était entiché et qu'il ne voulait plus quitter, même en classe. Il se croyait protégé dans ce cocon de laine, et la tempête pouvait bien déferler sur lui !

Cette détestable habitude lui valut le surnom de garçon-tuque. Et pendant ses six années d'école primaire, ses cinq années d'école secondaire, le garçon-tuque longea le parc tous les jours sans jamais oser s'y aventurer, finissant par croire que ce lieu n'était qu'un immense tableau suspendu dont s'échappaient de temps à autre quelques cris d'oiseaux. Les cris d'oiseaux, c'était pour faire plus vrai. Comme ceux qui sortaient de la chambre de sa mère, les fins de semaine surtout, mais ces cris-là hésitaient entre le plaisir et le rire nerveux. Et Jean avait pris l'habitude de peser les nombreux amants de sa mère sur sa balance à lui : deux sous, quand elle ne poussait qu'un petit gémissement ; cinq, quand elle allait jusqu'au cri ; dix, quand elle se mettait à chanter. « Tiens ta langue, Agnelle ! »

Car à cette époque de sa vie, frôlant la quarantaine, Marie Agnelle jouait de son deuxième ventre comme d'un instrument de musique. Elle ne disait plus « faire l'amour » comme du temps d'Édouard – Dieu ait son âme ! – mais bel et bien « baiser », parce que le ressort amoureux s'était cassé en elle sans qu'elle renonce à l'idée d'accumuler et de comptabiliser les petits bonheurs ou les grands plaisirs, en fait tout ce qui passait à sa portée. Marie Agnelle ressemblait à ces anémones de mer qui ont le pied prisonnier du sol mais dont la tête est constamment en alerte et dévore tout ce que lui apportent les courants. Si elle disait « baiser » plutôt que « faire l'amour », elle n'était qu'à demi consciente du revirement qu'implique un tel changement de vocabulaire. Elle sera ainsi passée sans douleur de l'amour romantique qui illuminait ses jours à une recherche du plaisir passager qui ponctuait ses nuits d'éclairs frénétiques. Et pour les

mêmes raisons, elle s'est mise à consommer du
Prozac, la nouvelle pilule du bonheur qui nous
venait des États-Unis avec le reste, dans le but
avoué d'accroître encore sa capacité d'être heureuse. C'était peu payer en retour de la jouissance
assurée de chaque moment de l'existence.

Quand son garçon-tuque entra au collège, en
arts, pour nous redessiner la vie, Marie Agnelle
n'arrivait plus à suivre le rythme, parce qu'il était
trop lent pour elle : ses journées à la bibliothèque
lui semblaient interminables ; ses comités, inutiles et
inféconds ; les rencontres avec ses amies, insuppor-
tables ; monotone le défilé de ses amants auxquels
elle reprocherait bientôt leur présence un peu
« mécanique » ; intolérables surtout les longues séances pendant lesquelles Jean réfléchissait en contemplant les murs. Elle l'avait si bien couvé qu'il ne se
sentait des ailes qu'au moment où elle les lui accrochait au dos : « Tu perds ton temps, tu gaspilles ton
talent ! Dessine-moi quelque chose, tiens, le parc par
exemple. Tu pourrais en faire des dizaines de
tableaux. » Il s'exécutait avec beaucoup de talent.
Elle l'enveloppait alors d'un sourire si tendre, si
tordu qu'il se dissipait bientôt en effarement. Quand
il lui montra son dessin du parc où tout, arbres, ani-
maux, fleurs, était réduit à un seul plan, plaqué là la
patte en l'air, elle s'assit pour reprendre son souffle.
Quelques minutes plus tard elle se mit pourtant à
célébrer les vertus de son tableau, n'ayant jamais au
fond d'elle-même accepté que son fils fût… peut-
être diminué par une maladie ou, disons-le tout net,
seulement à côté de la plaque.

Mais Marie Agnelle vivait pour deux. Elle rayonnait littéralement, un peu de lumière s'échappant de sa peau lorsqu'on sonnait à sa porte. Et les nuits qu'elle ne recevait pas, sa chambre se transformait en arène où elle menait victorieusement tous les combats : contre les maris égoïstes, contre la pollution générale de la planète, contre les politiciens à courte vue, contre la discrimination raciale, contre les inégalités sociales, contre le destin. Son esprit s'emballait, elle enfourchait son destrier, sa moto, son char, indistinctement, et elle chargeait ! Au matin, elle se traînait à la bibliothèque où elle réprimait mal de formidables envies de bâiller en classant ses fiches, mais le soir, en rentrant du travail, elle se glissait dans la baignoire pour renouer avec la douceur de vivre. La porte de la salle de bains ouverte, elle se mettait à chanter depuis son nuage de vapeurs, épiant l'arrivée de son fils. Quand ce dernier se manifestait enfin, elle chantait plus fort, soit parce qu'elle était consciente de la soudaine présence d'un auditeur, soit parce qu'elle voulait couvrir le bruit de ses pas. Puis lorsqu'il marchait vers la salle de bains elle se contentait de chantonner, escamotant la moitié des notes comme une diva convaincue d'être seule dans l'intimité de sa maison. En l'apercevant toutefois, appuyé au chambranle et sidéré, elle poussait des cris comme une jeune amoureuse surprise dans sa baignoire, qui ne va toutefois pas jusqu'à s'excuser de ne pas avoir fermé la porte.

Après dix-huit ans de négociation avec la réalité, Marie Agnelle avait presque remporté son pari : Jean se comportait comme un garçon ordinaire, c'est-à-dire normal, et plus rien ne saurait l'arrêter... si seulement le monde se pliait davantage à ses désirs. Oh ! il réussissait bien dans ses études, enfant modèle, doux comme une soie, transparent comme une vitre. Et son menton s'était allongé suffisamment pour loger à l'aise sa grosse langue. Mais quelque chose n'allait pas vraiment. Dix-huit années d'efforts, de joie, de soupirs, et elle avait la fâcheuse impression de n'avoir pas tout à fait réussi à le mettre au monde. Ces derniers temps, quand elle arrivait à dormir, elle se voyait en plein accouchement, l'enfant sortait sans lui causer la moindre douleur, il disait « C'est moi Jean », et tout repartait de zéro. Elle rêvait de le recommencer, d'avoir une seconde chance de le façonner à sa guise et de contourner l'obstacle sur lequel avait trébuché son garçon de laine. Elle repoussait avec de plus en plus de difficulté le désir de se le remettre au ventre pour contrôler sa gestation de pied en cap et faire, par la même occasion, une jolie grimace à son mauvais destin.

Tandis que son esprit s'emballait, sa vue baissait. « Vous allez rire, disait-elle à tout propos, mon œil gauche donne à tout ce que je regarde une couleur sépia, comme sur les vieilles photos ! » Marie Agnelle consulta son médecin, qui crut à une dépression nerveuse, bien qu'il y eût chez la malade dénégation de ses effets particuliers. « Mais je suis en pleine forme ! » « Vous croyez ? » Elle quitta la bibliothèque, s'assura qu'elle toucherait de l'assurance-chômage en plus de l'assurance-maladie — «Pardon, dit-elle, je me trompe, c'est l'une ou l'autre!» — et se mit en quête d'un magicien capable de diagnostiquer le mal dont elle souffrait réellement. Il n'y avait pas que Jean, elle sentait depuis quelques mois que la querelle avait gagné son corps, que l'on s'y disputait pour s'emparer de sa vie. Courtes périodes d'affaissement, suivies de longues envolées où elle se retrouvait comme en retrait du monde, à le voir tourner autour d'elle sans ressentir le moindre désir d'arrêter le manège et d'y monter. Il pouvait bien tourner, le monde, elle avait glissé, avait été rejetée parmi les minuscules débris, à la périphérie de son tourbillon. Absences de durée indéterminée, comme si elle quittait son corps et y revenait tout à coup, surprise d'y être enfermée, étonnée d'être liée à cette drôle de machine. Elle remarqua que son œil gauche ne distinguait plus rien que le brouillard, et elle eut de terribles maux de tête qui la jetaient dans son lit, raide et tremblante. Au bout de quelques minutes elle souhaitait mourir pour effacer le mal. Elle continuait de recevoir ses amants, André surtout, dont la douceur avait le mérite d'engourdir sa terrible souffrance, d'en faire un petit paquet et de le mettre à la poubelle au moment où il franchissait le seuil pour rentrer chez lui.

Mais le corps d'Agnelle fondait à vue d'œil, elle ne faisait plus le poids même devant son fils. «Mange!» disait-il, toujours économe de paroles, et elle entendait: Tu ne touches plus le sol, maman, tu vas te dissoudre dans l'air, et j'aurai un autre

fantôme sur les bras — le premier fantôme étant
lui-même. Peut-être s'était-elle éjectée du monde
en marche à force de vouloir que Jean réussisse, à
force de se mettre à sa place ? Il avait été son han-
dicap à elle, peut-être. Quand elle y regardait de
plus près, elle concevait qu'il avait transformé sa
vie, oui, il avait avalé sa vie en mille petites gorgées lentes. Il la lui avait volée. Le mot « voler »
vibra si fort dans sa tête que la sueur couvrit son
visage, et quelques instants plus tard elle dit « Ce
n'est rien, une défaillance passagère ! », à quoi Jean
ne comprit rien, « Qu'est-ce qu'il y a, maman ? » Elle
retrouva alors son sourire et des troupeaux d'oies
blanches ondulèrent sur sa joue avant d'aller se
poser sur ses tempes. Non, elle n'accepterait jamais
la défaite. Convoquant toutes ses énergies, elle se
rendit à l'hôpital Notre-Dame pour y consulter.

— Dites-moi sans détour, docteur, je vais mourir ?

Devant le sourire persistant de cette grande
femme blonde qui lui posait de drôles de questions, le docteur Chagnon commença par éclater
de rire. « Comme tout le monde ! » fut-il tenté de
dire. Mais après des examens et des tests et encore
des tests, qu'elle appelait son école de la mort, il
découvrit son mal et le lui annonça comme elle le
demandait, sans détour.

— Vous souffrez, madame, d'un méningiome
frontal. La plus sournoise des tumeurs, et elle est
déjà très avancée. J'ai peur qu'il soit trop tard pour
entreprendre…

— Merci, docteur !

Elle parut soulagée, libérée soudain des milliers de petits fils qui la retenaient encore à la terre. Arrivée à l'appartement, elle se mit à bousculer les meubles et l'ordre des choses, dans un charivari qui tenait plus du chaos que du ménage, installant même la table à manger au milieu du salon sous prétexte que dorénavant chaque repas serait un festin, chaque minute qui passe, une dégustation du bonheur de vivre. Et le garçon-tuque considéra que les métamorphoses de sa mère allaient dans le bon sens.

Agnelle perdit l'œil gauche, puis elle devint complètement aveugle au bout de deux mois à peine, saisie par surprise, disait-elle, au moment où elle renégociait sa vie. Ce n'est pas parce qu'une petite partie de son corps, les yeux en l'occurrence, refusait de jouer son rôle qu'elle s'empêcherait tout net de vivre. Elle avait d'autres ressources, le glas pouvait toujours attendre! Et elle eut d'interminables démêlés avec son méningiome, au terme desquels elle menaça de le poursuivre, je veux dire de le poursuivre en justice, car ce fut pour la seconde fois le scandale, la grande balance du bonheur s'étant trompée en penchant du mauvais bord. Puis, saisie de respect devant un adversaire démesuré, elle se mit à l'estimer et préféra le considérer comme sa chose, sa créature, un monstre auquel elle avait donné asile sous son front pour le protéger de lui-même. À partir de ce moment Marie Agnelle, son méningiome et Jean formèrent une sorte de triangle amoureux, dont il était difficile de supprimer mentalement l'un des angles. Depuis qu'elle était aveugle, Jean était devenu ses yeux et elle était sa garantie que le monde existe, et le monde existait bien puisqu'il y avait cette tumeur qui évoluait après lui avoir fermé les yeux.

Libéré du regard de sa mère, Jean se mit à refaire le monde dans un gigantesque bricolage : il assemblait des structures munies de roues inutiles, dans un équilibre visuel parfait, et il aidait sa mère à circuler entre ses constructions en insistant sur leur fragilité. Elle en conçut une terrible satisfaction du devoir accompli. Enfin son fils se réalisait. Il se réalisait si bien qu'il lui proposa un jour de munir sa canne blanche de roulettes, afin qu'elle n'ait plus à tâter son chemin par petits coups saccadés, qu'elle puisse au contraire rouler parmi les obstacles et rectifier sa route d'un faible mouvement du poignet. Les roulettes se trouvaient fixées aux extrémités d'une lame de métal que croisait la canne et à laquelle cette dernière était articulée. D'un léger mouvement de la main, inclinant l'axe des roues vers la droite ou la gauche, on dirigeait parfaitement la machine. Marie Agnelle cria au génie, et les troupeaux de paons déferlèrent sur ses joues en deux vagues parfaitement symétriques. Elle s'empara de la canne à roulettes et sortit faire ses courses, slalomant à travers les obstacles, les sifflements admiratifs et les rires sarcastiques.

Marie Agnelle mourut le soir même où Jean, le garçon-tuque – car il portait toujours son bonnet – reçut pour son invention de la canne à roulettes un premier prix du festival « Juste pour rire ».

Promenade

Je connais Marie Agnelle comme si je l'avais tricotée, sa fantaisie attachante aussi bien que sa fragilité, et je ne saurais lui reprocher le galop de ses émotions ni l'étrange séduction qui se dégage d'elle à tout moment. Le simple fait de l'entrevoir accrédite l'idée que le bonheur est possible et qu'il est présent là sous nos yeux. On pourrait lui reprocher sans doute d'avoir tout misé sur l'idée du bonheur, de n'être plus qu'un nid de désirs piaillant de ses dix becs jusqu'à ce que le monde se transforme en nourriture appropriée. Encore, s'il s'agissait de quelque chose d'essentiel ! Mais les bonheurs de Marie Agnelle miroiteraient comme des objets de luxe aux yeux d'autres Maries qui n'ont pas eu sa chance. Et je me demande si elle n'a pas tendance à tourner le dos à son vrai bonheur quand elle fonce tête baissée vers son bien-être.

Abonnée du déménagement annuel pour fuir, fuir le voisinage qui ne la comprend pas, fuir l'habitude – elle n'en peut plus de voir les mêmes rideaux pendus aux mêmes fenêtres – des rideaux comme des amants –, mais étrangement fidèle au parc Lafontaine, elle en fera le tour complet. D'abord à l'ouest, puis au sud, rue Sherbrooke, puis à l'est, rue Papineau, puis au nord, où elle finira ses jours. Et chaque fois qu'elle déménage, elle a le sentiment de recommencer sa vie, c'est-à-dire de s'embarquer de nouveau sur les rails d'un train nommé bonheur. Elle souffle pourtant à l'oreille du garçon-tuque « On repart ! », comme s'il s'agissait

d'une excursion périlleuse dont on appréhende
mal le dénouement. Et Jean répond « Oui
maman ! » en lui retournant la moitié de son sourire. Puis Marie Agnelle le regarde attentivement
afin de scruter ses yeux bleus, qu'elle se désole de
trouver impénétrables.

À part ce mur contre lequel se blesse le désir
d'Agnelle, on ne peut pas dire que le garçon-tuque
prenne beaucoup de place : il ne dérange pas plus
que la fuite d'un écureuil dans l'herbe. Cela
s'entend, il existe à peine. Il laisse derrière lui un
léger remuement d'air, que Marie Agnelle s'em-
presse aussitôt d'engouffrer dans ses poumons en
voulant s'assurer que tout réponde à ses moindres
caprices. Ah ! si l'humaine race vivait avec autant
de discrétion que Jean ! on pourrait s'abandonner,
se permettre de circuler dans les rues avec élégance.

~ Car son fils fait maintenant partie de ses bonheurs, mais au début, lorsqu'il tentait de poser
entre lui et le monde la fragile passerelle du langage, oh l'incapacité de dire, l'approximation, la
passerelle qui se lézarde, qui s'écroule tout à coup
pendant que la langue tâtonne, se risque… et se
pose entre deux rives, entre deux objets qui se
mettent à danser, leurs images respectives se
brouillant en images réciproques, le ciment le
mortier, la conjecture des conjonctures, le déclin-
gandé, pardon le déglingué, *excessivement* navré, je
rebutine *je redébute ma phrase* là où il fallait commencer : j'apprends à parler. Pour Marie Agnelle,
c'était toute la langue qui se défaisait sous ses

yeux, langue décocrissée, dont Jean n'était que le symptôme. Avec la vie qui s'épanouit pourtant dehors, mais le garçon-tuque est derrière la vitre, même quand on lui parle. Au début Agnelle reçoit ses bégaiements comme des insultes, la preuve que son corps à elle a mal fonctionné dans sa tâche de reproduction ; ensuite ce sont les silences du jeune homme qui se mettent à désigner l'espace de son malheur. Jean n'en finit plus de lui signifier son incapacité de la suivre dans ses envols, mais elle n'entend pas, elle n'en ressent que davantage l'envie de s'élancer, pour lui donner l'exemple ou l'entraîner à sa suite. Et elle flotte au-dessus du monde, bien que dans la matérialité du monde. Je ne sais pas si on peut en dire autant de Mary Two-Tals, qui a son fils bien en main et le transforme petit à petit en instrument de vengeance, pour que la prochaine génération fasse table rase de la précédente et se dresse sur ses débris.

C'est peut-être ça, après tout, vivre en Amérique, se dit Marie Agnelle : un rêve plus fort que la bête réalité, un refus d'accepter les conditions ordinaires de l'existence, comme si ce continent-là devait rendre à l'être humain des pans entiers du Paradis. Il les lui rendait bien d'ailleurs, ces éclats de Paradis, mais juchés au faîte de crêtes inaccessibles, ou ensevelis dans les neiges — vous vous souvenez de la ruée vers l'or —, ou terriblement inaudibles sous le déferlement d'un troupeau de buffles. Agnelle a toujours été fascinée par l'Amérique d'hier — le rêve se réalise mieux en bricolant les morceaux du passé. Oh! elle aime encore l'Amérique pour la générosité de ses fleuves, la gratuité de ses espaces perdus, le vide qui ronge çà et là la peau du continent, mais elle la déteste aussi, le Canada surtout, pour les mêmes raisons : le vide, la gratuité, la générosité perdue de son histoire et de ses hommes. Elle déteste avec une ardeur souriante le pays des cow-boys, de la bombe H, des *preachers* rapaces, plus avides d'argent que de vertu, qui prêchent la Vie Éternelle aux autres afin qu'eux-mêmes puissent jouir au maximum de leur vie terrestre. Mais l'Amérique, Agnelle ne sait pas qu'elle la gobe les yeux fermés comme l'oiseau gobe la mouche – à commencer par ses crèmes de beauté *made in U.S.A.*, ses vêtements si décontractés qu'ils flottent autour d'elle et lui donnent l'agréable sensation d'être nue, ensuite cette prétention de vouloir réaliser tous ses désirs tout de suite, et Prozac, et la certitude de la science, et la magie médicale qui vous rajeunit, vous prolonge, vous empêche de mourir, sauf dans le cas du méningiome mais bon, passons, et la folle ambition, celle d'Édouard par exemple, de réussir en enfonçant les autres –, Marie Agnelle vit et meurt de l'Amérique.

Agnelle Agnelle ! Où as-tu remisé ta grande balance sur laquelle tu pesais tes mérites et ceux des autres ? Tu t'énerves chaque fois que la nature chez nous a de ces sursauts inopinés, coups de vent, crues soudaines des eaux, tempêtes de neige ou de pluies qui menacent de nous engloutir, crois-tu, mais tu t'étonnes à peine que l'on survive toujours. Tu y vois seulement le signe que cette partie de l'humanité est naturellement bénie des dieux. Quelquefois la nature exagère cependant, et tu ne comprends pas comment cela est permis. C'est la démesure même de ces fléaux qui t'interpelle. Quand la nature s'acharne, ne tarit plus d'eau ou de neige, en rajoute encore et encore, quand la nature elle-même perd le sens, alors il te semble que le sens du monde a été perdu. Et tu cherches un coupable comme tu cherchais un responsable au silence de Jean. Le sens du monde est perdu par la faute de la nature? Cela se passe la plupart du temps dans le golfe du Mexique, ces tornades soudaines, traîtresses, et sur la côte ouest, ces tremblements de terre! Ah! Ils ont une drôle de mine, les rescapés des sinistres! Mais jamais on n'a lu sur leurs figures la moindre colère, le moindre blâme, comme s'ils acceptaient n'importe quel fléau avec une patience... c'est tout juste s'ils ne poussent pas des alléluias pour remercier Dieu d'être établis au bord d'une crevasse! Et toi, Marie Agnelle, as-tu déterminé lequel d'entre tes bonheurs et tes malheurs pèse le plus lourd sur ta balance, au bout du compte? Quand ton fils naît à la fois sans langue et avec trop de langue, tu ne cherches pas la cause, tu te plains d'une injustice.

Quand on lui reproche en effet d'avoir couvé son fils, elle réplique qu'il n'y a pas de gestes perdus et nous assure que devant la nécessité il se dressera comme un homme et s'interposera forcément entre elle et le malheur. Mais Jean, le garçon-tuque, est toujours le premier à s'effondrer et c'est lui, le malheureux, qui réclame d'abord d'être consolé : il ne laisse jamais passer son tour. Elle ne le condamne pas car, en le consolant, sa propre peine disparaît bientôt et elle a la faiblesse de lui en attribuer le mérite.

Sur une autre scène, au bar *topless* L'amant d'Ève, Édouard discute avec un collègue du destin de l'Amérique. Ils se parlent sans détacher les yeux du postérieur de la grande rousse qui contracte ses muscles pelviens dans un effort désespéré pour augmenter son pourboire.

— Avec le libre échange, je fonce sur l'Amérique du Nord.

— Tu veux dire que tu descends au Sud.

— Si tu veux.

— Et tu secoues le cocotier américain en attendant de mettre la patte sur le Mexique ?

— Ce que j'aime chez toi, c'est les métaphores… En passant, je peux bien t'offrir une bière, j'ai fait des économies en annulant les assurances d'Agnelle.

Les yeux d'Édouard s'abîment dans le triangle de la rousse.

— Salaud ! dit la grande rousse dont les cuisses se remettent en mouvement.

Elle circule, juchée sur le comptoir, sans rien perdre de ce qu'ils disent. Elle a parlé la tête au plafond. Elle décide d'aller faire son numéro devant un client moins radin.

Au moment où je les rejoins, Édouard est en train d'essuyer ses lunettes. Parce qu'il connaît ma fascination pour l'Amérique, il s'écrie en m'apercevant « Et vive l'Amérique ! » Alors il me demande droit dans les yeux si je considère vraiment qu'il est immoral de vouloir réussir.

— Et vive Agnelle! si tu me permets cette digression, dis-je. Mais tu ne m'as pas parlé de ton fils. Qu'est-ce qu'il devient?

— J'en sais trop rien… Il continue.

Édouard ne peut pas dire: il me continue, et ses enfants se poseront comme les doigts d'une main puis comme une légion sur l'espace du continent. Pour lui l'affaire est entendue, il a choisi de vivre en tant qu'individu d'abord, et comme tous les autres forcenés il refusera de mourir, il serait d'ailleurs capable d'avaler la terre d'un coup si la terre pouvait lui assurer cette survivance personnelle. Il ajoute:

— Jean s'en tire.

Jean n'a pas besoin d'eux pour constater qu'il ne sortira jamais de la bulle qui l'enferme, ni de sa tuque. En y songeant bien, c'est peut-être Agnelle qui la lui a vissée à la tête, sa tuque. Ne pas faire d'otites, ne pas prendre froid, ne pas s'enrhumer, toujours conserver la chaleur égale du nid. Pour l'éclosion des désirs. Il se souvient que même longtemps après avoir appris à marcher, le sol se dérobait presque toujours sous son pied, non pas à cause d'une mauvaise vision ni à la suite d'un étourdissement, le sol se dérobait parce que le sol n'existait pas vraiment: il commençait par trembler avant de se dissoudre dans une sorte de manque de définition. Jean perdait pied mais il rencontrait infailliblement la main de sa mère.

Il se souvient aussi de ses années d'école, des enfants autour de lui comme un cirque, c'étaient eux qui assuraient le spectacle en braillant de rire. Il a appris à réduire sa douleur à l'exacte sensation d'une piqûre.

Il se souvient même du futur : il voit un rapace fondre sur lui et l'emporter sous ses ailes noires. Il n'arrive pas à imaginer autrement son avenir, car il lui faudrait pour cela un solide contact avec les choses, avec les autres, la double croyance que le monde existe d'une part, et que lui-même se pose sur la terre pour y inscrire sa trace d'autre part. Mais il est dépourvu de l'une et l'autre croyances.

J'oubliais de le dire. Lorsqu'elle connut la nature de sa maladie, Marie Agnelle s'enveloppa dans des tonnes d'ouate, disparaissant sous les oreillers de plume, les édredons, la peluche, et Jean l'appelait d'abord de sa voix mal assurée, presque grelottante, et comme il n'obtenait pas de réponse il se précipitait dans la chambre, appelait encore, puis il écartait des deux mains les vagues de douceur qui la submergeaient pour découvrir sa figure diaphane. Elle faisait « Coucou ! Je me guéris moi-même puisqu'ils en sont incapables ». La petite lumière intermittente de son sourire parcourait sa face, avec des à-coups, et Jean lisait dans ce sourire l'amorce des larmes. Marie Agnelle avait pris la décision d'écœurer son mal à force de douceur, de manière qu'il s'échappe enfin, une main sur la bouche, et qu'il aille vomir ailleurs. De temps à autre, vers l'heure du midi, quand Jean sonnait et poussait la porte, elle croyait voir le spectre de son méningiome se profiler sur le mur et disparaître définitivement. Elle se trompait, son désir la trom-

pait. Le mal revenait à la tombée du jour, il lui sai-
sissait les bras pour les lui tordre, il lui mettait des
fardeaux aux pieds, il lui enserrait la tête dans
l'étau de ses mains, puis il s'affalait de tout son
poids sur elle, clouée au lit. C'est ainsi qu'elle en
est venue à l'étrange idée de séduire la mort. Elle
se procura des cigarettes, ouvrit un premier paquet
pour elle-même, disposa le second sur la petite
table près du fauteuil, après avoir dégagé quelques
cigarettes comme on fait lorsqu'on en offre à un
ami, puis elle attendit. Quelqu'un vint, qui ne ressemblait à aucun de ses amants, s'assit dans le fauteuil, fuma deux cigarettes d'affilée sans éteindre,
et garda le silence. Puis il se retira sur la pointe
des pieds de manière à ne même pas déranger la
poussière du parquet. Délicat, le personnage ! Ensuite on passerait peut-être aux choses sérieuses…
Mais elle espéra en vain. Chiche tout de même !
Elle se serait attendue à plus de mots, à une sorte
de discussion entre eux… Elle songeait à la grande
explication puisque c'était maintenant l'heure des
comptes. La grande explication avant de glisser
dans le gouffre.

Oui bien sûr, Marie Agnelle, et je pense que tu
y avais droit. Quand, les yeux bandés, on saute du
tremplin dans une piscine, c'est seulement parce
qu'on s'est auparavant assuré qu'il y avait suffisamment d'eau pour nous accueillir. Et ton visiteur
aurait dû parler, ne fût-ce qu'à la manière d'un
douanier – il ne se gênait pas pour te prendre tes
cigarettes ! En bon douanier, il aurait pu à tout le
moins dire « On passe » ou « On ne passe pas ».

Mais non, rien, pas l'ombre de la queue d'une réponse. Il y avait seulement les cigarettes, ah ça! Agnelle aurait pu jurer qu'elles disparaissaient du paquet à une vitesse folle. Mais en as-tu seulement tenu le compte, Agnelle?

Un jour le garçon-tuque s'étonna, « Tu fumes, maman? » « Très peu tu sais, c'est surtout pour elle que j'ai acheté des cigarettes. » « Qui, elle? » « Oh… la chose qui m'emporte » Puis elle ajouta soudainement enjouée « Le traitement est au bord de réussir, aujourd'hui j'ai dansé avec la mort! » Elle se montrait si persuasive quand elle évoquait la mort, elle la suivait si bien des yeux, « Tiens, elle est revenue! », que Jean vit effectivement quelque chose, quelqu'un même, s'asseoir dans le grand fauteuil sombre et s'allumer une cigarette avec de grands soupirs de contentement, comme une personne qui retrouve ses aises après un long voyage. Marie Agnelle passa ses doigts maigres, sa main coupante, dans la forte chevelure bouclée de Jean, qui lui rendit son sourire avant de jeter un œil inquiet du côté du fumeur.

Et leur vie se déroula dans ce luxe de complicité, comme s'ils avaient été seuls au monde et voués l'un à l'autre, à l'autre, rivés à la même coque. Elle flirtait avec la mort pour l'envoûter sans doute et l'amener à poser sur elle un regard indifférent, y parvenant presque. Dans sa tête elle pensait « baiser » avec la mort, et l'emploi de ce terme trahissait sa volonté de la réduire à un objet de consommation comme un autre — une manière de se venger aussi puisque tous ses amants l'avaient abandonnée à sa nouvelle maigreur. À compter de ce jour elle eut pour Jean des douceurs amoureuses, il eut pour elle des tendresses délicates, à peine exprimées mais si prodigieuses, qui ne laissaient place à rien d'autre pendant de longues soirées et les enfermaient tous trois entre les barreaux d'un rêve doux. Mais l'étrange visiteur qui lui tenait parfois compagnie n'eut jamais la délicatesse de desserrer les dents en sa présence. Ni d'ailleurs quand elle s'absenta pour de bon.

De son côté Jean aurait pu, en rentrant du festival « Juste pour rire », le trophée sous le bras, pénétrer dans l'appartement qu'il avait habité avec sa mère, non pas en vertu d'une affection marquée pour celle-ci mais plutôt par facilité, découvrir Marie Agnelle sur son lit, si petite, ne pesant guère plus que ses os, et raide comme une arête, la découvrir morte, mesurer son effroi, et se retrouver d'un seul coup dans sa bulle. Alors il se lève, il prend sa première décision d'homme, il médite longuement sur la façon de ne pas rater son coup, il s'approche de la patère, s'assure que la distance jusqu'au sol est suffisante, il veille à bien rentrer sa langue et il se pend à la place du manteau de son père.

Ou bien supposons qu'il prit le temps d'organiser l'incinération de sa mère, de négocier un rabais parce qu'elle ne pesait plus rien. Il revint à la maison en serrant l'urne sur sa poitrine. Il en répandit le contenu sur l'appui de la fenêtre basculante. À cinq heures de l'après-midi une brise tiède se leva. Le petit tourbillon de cendres, à quoi était réduit le corps d'Agnelle, monta dans l'air, se promena un moment au-dessus du parc, puis se mit à galoper dans le ciel en direction de l'ouest, parce que c'est à l'ouest que se couche le soleil dans des éclaboussures d'or qui ressemblent au bonheur.

Tableau III

La terre

Le blé l'herbe tendre.

À la première heure, un matin du mois d'août dans les plaines, l'indolence du blé quelque part entre Moose Jaw et Chaplin, la vague du vent qui passe et incline les épis dans une longue ondulation, puis tout à coup, sans cause apparente, une crête fait un écart brusque vers la droite, comme un chien fou, et disparaît du côté nord, à la frontière du champ. Mais la plupart du temps la vague se déplace de façon régulière et prévisible, puisqu'elle n'est que l'envers du vent, sa face visible et matérielle.

Mary sent la céréale, elle dodeline souvent de la tête si bien qu'on n'arrive pas à la distinguer au milieu du champ, sauf ses yeux qui ont l'allure de deux papillons bleus. Elle fréquente l'école et lit tout ce qui lui tombe sous la main, en faisant savoir à son père Eddy Smith qu'elle en connaît plus long que lui déjà, même sur les espèces de céréale, les engrais appropriés selon l'avancement de la saison et la composition chimique du sol, les prix du grain aussi. Mais elle ignore le prix du pain. Mary mange d'ailleurs selon les recommandations de sa mère, sans se gaver ; elle fréquente l'église quand il faut, a des amis clairsemés mais comme il faut, préfère le blue jean mais enfile sa jupe à volants quand elle ne peut y échapper. Sans grand effort elle porte l'avenir de la terre dans ses bras, ce qui lui donne tout de même un pas anormalement lourd pour une si petite personne. À ce moment-là elle ressemble à Sisyphe la première fois qu'il poussait son rocher vers le sommet. Elle se plaint pourtant déjà que les choses se répètent inlassablement – repas, vaisselle, saisons, devoirs –, que c'est toujours la première heure, celle où tout paraît toujours à recommencer. Alors elle ressemble à Sisyphe après un nombre indéterminé d'ascensions, suffisamment nombreuses pour lui faire comprendre qu'il ne déplace ni ne conquiert rien d'autre que son propre mouvement. Quant à lui, monsieur Smith fauche son blé, le ramasse, le bat, l'engrange. Le soir il arrive mal à sourire parce que la fatigue l'engourdit, la poussière a durci sa peau au point qu'il a peur de la craqueler en esquissant le moindre signe de satisfaction. Il ferme les yeux sur la joie de sa fille et il s'endort dans son sarcophage de poussière.

À l'automne, il laboure sa terre. Les socs des charrues glissent et retournent le sol dans un étrange sifflement qu'il perçoit par-dessous le ronronnement du tracteur : un vague chuintement puis tout à coup le crissement d'un caillou qui résiste et vient rayer l'oreillette d'acier sur toute sa longueur. Eddy sent alors quelque chose d'analogue à la trace d'un ongle aigu sur sa peau, puis il se retourne pour constater que tout est rentré dans l'ordre et son œil s'égare dans l'immensité du champ. Comme la saison a été bonne, il songe que la prochaine l'enrichira peut-être. Il sourit sans forcer la note, de l'intérieur, sans prendre le temps ni la peine de le manifester. En fait il rêve au volant de sa machine, qui n'exige pas une bien grande attention sauf pour la rectitude des sillons : il est satisfait de voir que ces derniers alignent leurs ourlets bien parallèles avant de disparaître dans le fossé de drainage. Il lui semble parfois que la charrue c'est lui qui, dans une accolade monstrueuse, de ses deux bras posés en angle, écarte les lèvres de la terre, s'y insinue. Il se souvient du temps qu'il portait Mary sur ses épaules, obligé de se tenir droit et de compenser par des contorsions lentes les soubresauts de la machine. Il pourrait se demander s'il aime tant la terre parce qu'elle le porte, ou simplement parce qu'elle lui rapporte des dividendes. Dès que le printemps tardif prend possession de ses champs, il sème, et vers le soir il s'immobilise longuement pour contempler à loisir la poudre d'or qui flotte paresseusement dans l'air. Et c'est un autre bonheur.

Cette année-là il se mit à pleuvoir, une pluie tenace, plutôt légère, qu'Eddy salua d'abord d'un soupir de gratitude. C'était de bon augure, le grain pourrissait, allait germer, sortir de terre et croître.

Au quatrième jour de pluies il s'écria, ennuyé, « Le grain pourrit ! », et il remarqua lui-même l'apparente contradiction qui le poussait tantôt à bénir la pluie, tantôt à la maudire. Car il y avait selon lui deux façons de pourrir : l'une qui dégage le germe et le nourrit, l'autre dont le processus de décomposition trop rapide gonfle le grain avant de le dégrader complètement et de le transformer en un petit tas de pourriture dans sa gaine d'or. Eddy connaissait bien ce carrefour, où une première route conduit à la vie, la seconde obligatoirement au néant, il s'étonna cependant de constater pour la première fois qu'il n'y avait rien entre les deux, pas le moindre espace, pas la moindre possibilité d'être à demi. Mary aussi arrivait au carrefour, il veillerait à ce qu'elle pousse droit. Mais il se tracassa d'abord pour son grain.

Après une seule journée pendant laquelle les rayons du soleil parvinrent à faiblement toucher le sol, il se remit à pleuvoir durant toute une semaine. « Du jamais vu de mémoire d'homme ! » conclut Eddy, parce qu'il refusait les souvenirs de son père. La pluie tombait dru, au point de creuser de petits cratères par lesquels le grain remontait à la surface et glissait n'importe où, au fil de l'eau. Eddy revêtit son vieil imperméable noir – « Tu ressembles à un épouvantail ! » dit Mary –, et se rendit au milieu de son champ pour assister au lent désastre. N'avait-il pas entrepris de reconstruire les bâtiments et les silos, au prix d'une énorme hypothèque, parce qu'il croyait avoir franchi la ligne qui départage le succès de l'échec, la frontière

immuable entre les gens prospères et les pauvres,
ceux-là glissant toujours vers le bas de la pente
« parce qu'ils n'ont pas l'équipement pour s'accrocher, encore moins pour remonter », avait coutume
de dire Eddy. Et c'était bien leur faute si les instruments faisaient défaut. Pour sa part il s'était
entouré de tous les accessoires imaginables, même
de ceux qui obéissaient plus à la mode qu'à la
nécessité, et il était persuadé que de vivre à crédit
— il devait sa culotte — était une preuve de confiance dans l'avenir.

Sa foi était telle qu'il décida d'ensemencer de
nouveau. Oh ! il connaissait bien la nature, elle
avait des sautes d'humeur, des caprices inexplica-
bles, mais au bout du compte elle ne faisait jamais
tout à fait défaut. Bête captive, bête de somme, je te
somme de produire ! Et la nature obéissait. Il se mit
donc à faire beau sur la douce courbure de ses
champs. Eddy crut que cette fois le grain allait
mourir mais pour germer, et il emmena Mary en
ville pour fêter l'événement.

Il y avait sur la grande place de Chaplin un
cirque, venu de Californie, qui s'y sentait tellement
à l'étroit qu'il débordait jusque derrière les maisons
et ressemblait à une énorme pieuvre posée au dos
du village. Mary n'avait jamais vu des mâts si
hauts, des couleurs si vives, et ces bruits touffus lui
faisaient l'effet d'une musique sentimentale. Son
père la conduisit sous toutes les tentes, sauf sous
celles réservées aux rêves et aux peurs des hommes,
et sous le grand chapiteau où les dompteurs
avaient des airs de comédiens et les ours fatigués,

des allures de marmottes. Mary trouva qu'on était bien loin de la nature, que tout cela tenait plutôt du théâtre, mais elle ne s'en amusa pas moins, goûtant de tous les plats, tirant son parti de tous les jeux. La caverne aux échos la séduisit particulièrement, car elle entendait pareil phénomène pour la première fois : sa voix s'envolait, disparaissait un moment avant de lui revenir à peine déformée, on aurait dit une autre elle-même qui lui répondait. Quant à la Grande Roue, elle l'impressionna au-delà de toute attente : elle se sentit arrachée à la terre, lancée vers le ciel, c'était absurde, comme un oiseau elle voyait les champs à perte de vue, puis elle retombait et son père lui tenait heureusement la main afin qu'elle ne s'envole pas vraiment, ne retombe pas vraiment sur le sol. Elle avait le cœur dans la gorge et, l'instant d'après, son corps s'allongeait, s'allégeait, ne pesait plus, s'enfonçait, redevenait normal, s'allongeait... Mary connaissait enfin la griserie de l'envol et de la chute, cet abandon du corps à d'autres forces qui vous mènent à leur guise, vous enlèvent et vous redéposent, en accentuant toujours la surprise, à contre-courant du mouvement attendu. Elle aurait voulu toujours vivre dans ce déhanchement de l'être, entre soi et soi, dans l'extase du corps étonné, en tenant toujours fermement la main de son père. Et c'était la fête de son âme. Mary rayonnait si fort que son père s'en émut – elle pouvait s'envoler pour de bon ! – et quand la Grande Roue s'immobilisa, il feignit d'avoir aperçu des éclairs dans le ciel et dit « Il faut rentrer. » Elle contesta les motifs de cette décision soudaine, il n'y avait pas d'orage dans l'air, ne trouva rien d'autre à répliquer et se soumit.

Sur le chemin du retour à la ferme pourtant, elle n'eut de cesse qu'il lui promît tous les matériaux nécessaires à l'aménagement d'une chambre haut perchée dans le vieux silo, qu'il n'avait pas osé détruire pour des raisons sentimentales : c'était le premier silo, construit par son propre père, le premier coup de griffe du progrès, le premier signe de l'avenir planté orgueilleusement sur ces terres planes. Dans la tête de Mary avait germé l'idée que rien ne ressemblait plus à la sensation de la Grande Roue que l'altitude du silo où elle avait réussi à monter quelquefois sous le regard ému de son père. Elle y établirait ses quartiers tant que dure l'été, pour renouer avec la sensation de l'envol et de la chute.

Le blé poussait dru. Eddy se montrait content sans aller jusqu'à afficher de l'enthousiasme : on ne sait jamais, tout peut basculer de nouveau dans le néant ou la pourriture… Et puis Mary a poussé trop vite, il craint de la voir un jour s'affaisser comme font parfois les plantes, même gorgées d'eau. Il faut dire que Mary possédait tout, au point qu'elle en débordait : sa grâce, ses objets, ses talents, ses petits plats particuliers, que l'avoir et l'être s'en trouvaient brouillés et qu'elle en arrivait à mal distinguer les frontières de son propre corps. Elle n'avait pas tracé de borne à ses rêves non plus. Elle s'enfonçait, disparaissait sous ses objets, dont le moindre eût pourtant enchanté d'autres enfants, même insatiables.

À la fin de cet été-là Mary découvrit pourtant qu'elle s'ennuyait, nulle part entre Moose Jaw et Chaplin. Elle refaisait le même lassant parcours jusqu'à la minuscule école où l'attendaient la même enseignante — une vieille bigote empêtrée dans son corps, on dirait qu'elle porte une armure —, et les mêmes copains, et l'éternel Paul qui la raccompagnait sur le chemin du retour. Ils se disaient « Salut, Salut ! », une parole aussitôt bue par les champs, avant même qu'ils se soient tourné le dos. Car ici l'écho n'a pas d'obstacle contre quoi rebondir, et les paroles se dissipent tout simplement dans l'air… À la maison Mary talonnait toujours son père, insistant qu'il n'avait pas tenu sa promesse et l'assurant du même coup qu'elle n'y renoncerait pas.

Au moment de récolter le blé — à vrai dire il manquait encore une semaine pour que le grain soit mûr, jaune comme le soleil —, monsieur Smith hésitait entre deux hypothèses : s'il fauchait son blé tout de suite il perdait au moins le quart de la récolte, à cause de l'immaturité du grain ; s'il attendait une semaine il avait des chances de récolter le maximum et de rembourser son hypothèque une petite partie, à vrai dire, mais en misant toujours sur la chance, le bonheur des riches, il pourrait accumuler les succès, et la fortune. Il opta pour la seconde solution malgré les menaces d'intempéries. On annonçait en effet pour le lendemain un gel précoce suivi d'une tempête de neige. Qu'est-ce que n'inventent pas les médias pour nous impressionner et nous garder le nez dans le sillon ? La

neige déferla néanmoins sur ses champs, alourdis-
sant d'abord les épis, inclinant les longues tiges, les
rabattant au sol sur de grands espaces comme les
coups de faux d'un géant qui a perdu l'esprit. Eddy
endossa son imperméable noir, trop léger dans les
circonstances, et se rendit au milieu de ses
champs. Le gel était bien passé par là et chaque
flocon se transformait en une balle qui lui traver-
sait le cœur. Son champ s'enlaidissait, avait la teigne,
et la neige s'acharnait, s'agglutinait, pesait. Son
champ lui parut l'exact envers de la beauté de
Mary. Il regarda longuement la neige achever
d'écraser les tiges récalcitrantes. Quand il rentra à
la maison, Eddy avait terriblement l'air d'un épouvantail qui aurait perdu ses deux bras et une partie de son dos. Mary eut envie de lui dire à la
blague que l'épouvantail n'avait pas réussi à mettre
le mauvais temps en déroute. Elle se retint pourtant et lui adressa un petit sourire ironique dans
lequel il voulut voir un signe de réconfort. Car elle
n'était pas consciente de la gravité de la situation,
et il préférait ne pas relever son insouciance.

Mary grandissait, et s'ennuyait. À ses yeux
l'éternité se trouvait quelque part au-dessus de sa
tête, il suffisait d'avancer en âge pour s'en emparer.
Elle était donc pressée de vieillir, de grandir,
d'apprendre ; rien n'allait jamais assez vite, le
monde avait une fâcheuse tendance à s'endormir
ou à piétiner. Son désir d'accélérer le temps la rendit nerveuse : elle remontait sa jupe à tout
moment pour la faire paraître trop courte, elle se
grattait la tête violemment comme si elle avait eu

des poux — en fait elle pourchassait du bout des ongles les petits grains d'ennui qui la piquaient atrocement. « Tu finiras par t'arracher la peau ! » grondait la mère. « Ça me démange ! » rétorquait-elle, l'air furieux. Et pour lui rendre le compliment de l'épouvantail, son père la traitait de sauterelle excitée, qu'on ne retrouve jamais où elle devrait être, tantôt ici, tantôt là, plongée dans un livre et l'instant d'après envolée sur sa bicyclette, affalée sur le canapé et entièrement absorbée dans la profonde méditation que déclenchait en elle la musique de Funky Town, puis disparue tout à coup sans qu'on l'ait vue passer, la musique beuglant toujours. Eddy lui reprocha de vivre comme un vidéo-clip, dans la fébrilité la plus stérile.

L'hiver passa, rythmé par les caprices de Mary, mais rien ne semblait pouvoir ébranler la grosse maison douillette, pas même les complaintes d'Eddy sur le temps qu'il fait, qu'il n'a pas fait, qu'il fera, la récolte perdue, et les mauvais politiciens qui réclament toujours des impôts à contretemps. Rien n'avait changé, excepté un léger resserrement des dépenses dont on questionnait plus longuement l'utilité. Il en fut ainsi de la tour : dans son désir d'échapper à la désespérante horizontalité des choses, Mary trouvait que le vieux silo mettait trop de temps à se transformer en château. Elle décida de ne plus attendre le bon vouloir de son père et, toutes les fins de semaine, elle y joua du marteau avec son copain Paul, y aménageant une chambre au faîte de la tour. « Encore des planches, tu les brûles ou quoi ? Ce n'est pas le temps de gaspiller... » «Ce n'est jamais le temps pour rien, de toute manière!» Au bout de longues discussions, Mary dut accepter un compromis : chaque livre de clous, chaque ballot de planches lui vaudraient une robe en moins. Mais elle s'en fichait, préférant habiller sa tour. Elle s'interrompait dans son travail à tout moment pour contempler les alentours, qu'elle trouvait ridiculement aplatis, et pour ressentir à nouveau ce qu'elle avait connu au cirque : cet arrachement du sol et la sensation de voler un brin. Dès que les beaux jours furent revenus et la construction achevée, elle congédia Paul, légèrement ennuyeux à la longue. Elle pria son père de poser à la porte une serrure dont elle aurait seule la clé.

Il s'exécuta en tempêtant, car il était débordé par les semences à terminer dans trois jours, voulant à tout prix sauver la prochaine récolte et éviter la faillite qui le menaçait. Il ne comprenait pas qu'elle fût si exigeante pour satisfaire un rêve d'enfant pendant que lui-même s'échinait pour épargner à sa famille le déshonneur de la pauvreté. Il songeait que tous ses efforts pouvaient être de nouveau anéantis par un bref caprice de la nature, et il commençait à se demander pourquoi tant peiner, pourquoi ne pas s'asseoir tout simplement et compter les minutes du temps qui passe, comme font les citadins quand arrive cinq heures ? Il fit face à la commande de Mary comme à une fatalité supplémentaire, avec l'envie subite de l'étrangler, et il retourna dans ses champs. La neige ayant été rare et le gel profond, ce printemps-là la

nature promettait moins que d'habitude. La
semeuse soulevait déjà des nuages de poussière de
mauvais augure. Pourvu qu'il pleuve ! « Ah non !
disait Mary, il fait beau et je m'en arrange ! » Elle
passait de longues heures à la petite fenêtre carrée
de son royaume, à contempler la vallée où souf-
flait le vent, et de temps à autre elle jetait un
regard sur l'homme accroché au volant de son
tracteur jusque tard le soir, et dont le passage à
intervalles réguliers était à la source de ces traînées de poussière, qui s'effilochaient au vent
comme de vieux rideaux en loques, qui montaient
et venaient se plaquer contre sa vitre. Elle tâchait
de regarder ailleurs, et son plaisir de conquérante
renaissait, sans doute exactement de la même
manière que celui de Mary Two-Tals lorsqu'elle
posait les yeux sur l'infini glacier en cherchant les
moyens d'y inscrire sa trace définitive.

Ce fut la pire sécheresse de mémoire d'homme,
parce que sa mémoire d'homme à lui oubliait les
sécheresses antérieures. Cet été-là il ne plut que
pour rire sur la coupole du château de Mary, quelques gouttelettes égarées et le soleil nous séchait
cela en un clin d'œil. Comme le clin d'œil du
grand cow-boy dont elle rêvait. Le voilà qui arrive,
brutal et raffinée, prince anglais banni d'Angleterre
pour une histoire d'amour et qui s'est recyclé dans
le bœuf ; le voilà qui l'enlève sur son cheval roux,
la déflore comme on cueille une fleur inouïe, la
redépose en haut de sa tour, la reprend. Mary n'en
finissait plus de réécrire le roman de sa séduction,
en s'attardant sur les passages où le pied du cava-

lier cliquetait au contact du sol, ou sur le bruit de l'étroit escalier ébranlé par sa folle course comme par le galop d'une meute, et il paraissait soudain devant elle, il la couchait sous ses baisers et leurs corps chuintaient en s'enflammant – elle se savait en transe, sa main droite était mouillée. Mary ouvrait alors lentement les yeux pour apercevoir son père qui continuait de sécher debout à la lisière de son champ.

Il fit beau, il fit beau, il plut quelques larmes de sang le long de sa cuisse, il fit beau. Mary montait souvent B.B. (pour Being Beauteous), un vieux cheval mustang qu'Eddy avait racheté d'une faillite afin de se rappeler la conquête de l'Ouest. Elle y sautait d'un bond souple, son pied effleurant à peine l'étrier, et elle galopait dans les champs pour aller à la rencontre de l'invisible cavalier. Quand le contact imaginaire s'établissait, elle souriait, inclinait le buste et repartait en direction de son château à la fine épouvante, tant et si bien qu'elle le semait en route et qu'il ne parvenait jamais à passer l'épreuve. Le cavalier invisible devait monter un âne! car le cheval de Mary avait le galop lourd d'une bête fatiguée. «Tu épuises la vieille rosse!» protestait Eddy, qui menaçait chaque fois de se défaire de l'animal qu'il aurait préféré conserver mais à titre purement décoratif.

Sur les entrefaites, une paille à la bouche, le copain Paul fit son apparition dans le chemin de traverse qui reliait le domaine de son père à celui d'Eddy. Il avait tenté plusieurs fois de pénétrer dans le sanctuaire de Mary, mais la diablesse lui

verrouillait chaque fois la porte au nez, prétextant
que les garçons y étaient interdits de séjour parce
qu'ils ne savaient pas voir les choses correctement.
« Quelles choses ? » Car il se rappelait dans les
moindres détails les armoires qu'ils avaient cons-
truites ensemble, dont il avouait ne pas connaître
l'usage, il se rappelait surtout la couche, un tendre
amas de paille creusé en son centre et arrondi au
pourtour, un nid parfait pour piailler en compagnie d'une fille, et assez éloigné du sol pour éviter
les prédateurs… « Les choses de l'amour, tiens ! »
disait-elle.

Mary vit venir Paul d'assez loin pour avoir le
temps de mettre en place le rêve qui allait prendre
corps cet été-là. À mesure qu'il approchait, il ressemblait davantage au chevalier servant qu'elle
avait imaginé, même s'il ne chevauchait pas sa
monture. « Il l'aura abandonnée quelque part pour
ne pas m'impressionner outre mesure, » songea-
t-elle. Il n'avait pas tout à fait la démarche de la
noblesse anglaise, mais il fallait l'excuser, la fatigue
sans doute, après une longue chevauchée. Il
s'approcha, s'approcha, colla son oreille à la porte
de la tour et cogna trois petits coups brefs, qui
résonnèrent dans le cœur de Mary comme un
signal convenu, car elle avait dégringolé les marches et se tenait coite derrière la porte. Elle attendit
qu'il cognât de nouveau, remonta quelque peu
afin de paraître à bout de souffle, redescendit,
l'entendit s'impatienter – il jurait sans doute, mais
en passant par le trou de la serrure ses gros mots
se transformaient en poésie –, elle ouvrit enfin et

dit en regardant vaguement dans sa direction
«Oui, qu'est-ce que c'est?» puis elle ajouta «Vous
pouvez monter.» Paul se retourna pour vérifier si
ce «vous» s'adressait bien à sa seule personne, et il
la suivit dans l'escalier. Pendant l'ascension elle
n'arrêtait pas de parler, elle était si occupée, elle
n'avait pas eu le temps de se préparer convenablement pour l'accueillir, mais à l'avenir elle y veillerait, car il faut savoir discerner l'essentiel dans la
vie. Il ne comprenait rien de ce qu'elle racontait : il
la trouvait simplement ravissante dans sa jupe à
carreaux, il entrevoyait sa jambe et parfois la naissance de la cuisse quand il prenait du retard sur
elle, et cela lui parut une grâce plus ou moins
méritée. Mais comme il avait le pied solide, il se
dit qu'après tout il pouvait tenir son rôle dans cette
pièce de théâtre dont quelqu'un d'autre écrivait le
texte. Osé jusqu'à l'outrance, il lui pinça délicatement le mollet droit. Elle eut un petit rire complice
qui acheva de le convaincre que la situation avait
changé. Ce serait son jour de gloire. À peine arrivée au sommet, Mary s'immobilisa pour reprendre
son souffle : elle le regardait par en dessous, avec
un sourire qu'il ne lui connaissait pas. Il remarqua
que les ailes de son nez palpitaient. Elle s'approcha
de la petite fenêtre et dit «C'est ainsi que je veux
toujours voir le monde !» Il regarda par-dessus son
épaule et ne vit que des champs où le blé poussait
mal. Comme il se retournait, elle se laissa choir
dans ses bras, au risque de lui faire perdre l'équilibre. Puis il y eut le nid de paille tout rond, les
murmures, «laisse-moi un peu de temps pour me

faire à l'idée», disait-elle sans cesse de mâcher son chewing-gum, et il se demandait si ce temps-là se mesurait à la minute ou à l'année quand elle glissa sous lui, déjà abandonnée, après une ultime question : «Tu sais comment faire ?» «Oui», risqua-t-il, mais c'est elle qui guida sa main. Elle retrouvait la sublime sensation de la Grande Roue, entre soi et soi, emportée malgré elle dans une direction qu'elle ne choisissait plus mais à laquelle elle ne pouvait plus résister, au seuil de la peur et du plaisir, tout son corps comme à côté d'elle, dans une douce dérive. «Houp là ! Je l'ai perdue !» fit-il soudain, légèrement honteux d'avoir succombé trop vite au plaisir. « Tu as perdu quoi, au juste ?» demanda-t-elle. Dans la tête de Mary, le prince anglais perdait du terrain au profit du petit voisin Paul, qui avait le mérite d'être là mais qu'elle ne désirait cependant pas consacrer tout à fait. Non, elle le percevait tout au plus comme un moyen circonstanciel d'atteindre son rêve. Quand il se mit à proclamer son amour éternel, elle lui fit gentiment signe de se taire. Elle préférait le voir s'activer, qu'il lui communique de nouveau cette sensation de dérive, qu'elle soit à la fois dedans et à côté de son corps. «Je t'aime pourtant !» dit-il, entre l'enthousiasme et les larmes. Lorsqu'ils descendirent de sa tour, elle le congédia sans ménagement pour la seconde fois, dans l'intention de se reprendre en mains sans doute. Elle comprenait vaguement que l'amour conduisait peut-être à confier la gouverne de sa vie à quelque chose ou à quelqu'un d'autre, et elle se demanda longtemps pourquoi le plaisir naissait d'une sorte de perte de contrôle, comme dans la Grande Roue, comme s'il fallait s'abandonner à la mécanique du corps après avoir tiré le rideau sur la lucidité de l'esprit. Au bout de quelques jours elle rappela Paul pour tester à nouveau les vertus de cet étrange manège. Il lui dit qu'elle était la déesse de l'amour, qu'elle avait la grâce de Vénus et la puissance de Cybèle – il lisait beaucoup –, mais il ne parvint jamais à lui faire lâcher sa gomme à mâcher, dont les bulles pouvaient lui éclater au nez à tout moment.

Ainsi s'avança l'été jusqu'à toucher l'automne, et le verdict d'Eddy tomba : la semence, petites billes durcies contre lesquelles un rongeur se briserait les dents, n'était pas sortie de terre, sauf quelques touffes éparses et malingres, ridiculement posées dans les creux ! Et le vent qui charroyait des tonnes et des tonnes de poussière, sa terre qui s'envolait en tourbillons inégaux pour glisser dans les fossés !

Chaque fois qu'Eddy voyait le jeune Paul galoper vers sa fille, il murmurait « Ah ! L'animal ! » et il réprimait une forte envie de lui casser les jambes. Il commença par lui reprocher de soulever beaucoup de poussière pour rien, à quoi Paul rétorqua qu'il ne connaissait pas personnellement le dieu de la pluie… et Eddy enrageait de l'intérieur. Puis il l'accusa de tasser la terre en dessinant un sentier capricieux qui ferait inutilement bifurquer la charrue. « Ah là ! dit Paul, vous exagérez. » « J'exagère maintenant ? » demanda Eddy en saisissant l'amoureux au collet. Il fallut l'intervention de Mary pour les départager.

Nul ne résiste à deux catastrophes de suite. C'est du moins ce que prétendait Eddy, sans doute pour se ménager une sortie et du même coup alerter sa famille de l'imminence de sa défaite. La récolte fut en effet un désastre total.

Il attendit l'heure du midi pour se rendre au milieu de ses champs, se coucha sur le dos et souhaita mourir. Que son corps se dessèche au soleil, que ses yeux soient mangés par les corbeaux! Que ses os se transforment en poussière, selon la parole de l'Évangile... ou peut-être qu'avec un peu de chance il pourrait semer ses os et renaître sous une autre forme. S'ensevelir – l'idée ne le lâchait plus –, s'enterrer, parce qu'il était ruiné aussi aux yeux de sa famille. Il commença à gratter, gratter longuement de ses griffes, comme un coyote creuse sa tanière en arquant le dos, pour s'y glisser et rabattre sur lui la poussière qui le transformerait peut-être. Et tout ce temps l'image de Mary le poursuivait, maintenant il se voyait en train de l'étrangler puisqu'il en avait fini avec les mondanités. Il l'étranglait parce qu'elle ressemblait au blé qui lui avait fait faux bond, qui s'était installé au-dessus du vent, qui l'avait lâché.

De sa fenêtre haut perchée Mary observait son père et ne pouvait rien penser. Elle savait pourtant que le malheur avait frappé, non pas brutalement, mais en s'insinuant progressivement comme un ami à qui l'on ouvre la porte, et qui s'installe, et qui se transforme en l'instrument de votre perdition. Elle posa sur la scène un œil d'abord hautain, puis légèrement froid, puis de plus en plus amusé, parce qu'elle ne voulait pas en accepter les conséquences. Elle reçut pareillement son amoureux Paul, avec une distance qui le sidéra, allant jusqu'à l'invectiver parce qu'il pesait trop sur elle, il était balourd, empoté, grosse couenne, le rêve s'écartait déjà de la réalité, « Viens voir l'idiot ! » dit-elle en désignant son père, puis se retournant vers Paul, qui était nu, en attente dans le lit, elle dit « Imbécile ! » et le gronda si fort qu'il perdit soudain tout désir d'elle et roula hors du nid de paille avec l'envie de déguerpir.

Après deux jours d'observation distraite, Mary dégringola soudain l'escalier de sa tour et alla trouver sa mère pour lui annoncer qu'Eddy avait perdu l'esprit. « Il s'enterre dans le champ ! » dit-elle en preuve ultime de sa folie. Sa mère voulut d'abord nier – Eddy l'avait prévenue qu'il allait à la ville –, et ce que Mary disait là n'avait pas de sens, Eddy avait la tête trop bien vissée sur les épaules pour faire des bêtises, « Et ne te mêle plus de ça, ça te dépasse. »

Ce ne fut que le lendemain soir qu'elles décidèrent d'aller à la rescousse d'Eddy. Mary insista pour monter B.B., au cas où il faudrait ramener son père sur le dos de la bête, comme elle avait vu faire dans les westerns. La mère trottinait derrière. Arrivées sur les lieux, Mary ne descendit pas tout de suite, c'est sa mère qui dégagea le visage d'Eddy. Grâce au ciel, il vivait encore dans sa fosse, « grâce à l'absence de pluie » dit Mary, puisque la terre qu'il avait réussi à faire glisser sur sa figure était si peu compacte qu'il avait pu continuer de respirer presque normalement. Elles le désensevelirent avec des larmes de veuves et l'aidèrent à se hisser sur le cheval, où il réussit à se maintenir en s'accrochant à la taille de Mary. Pendant les jours qui suivirent, Eddy mangea ce que lui donnaient les femmes, les yeux hagards et s'indignant qu'on ne l'ait pas laissé où il était. Il prit des forces cependant et un matin il sembla avoir définitivement regagné son corps. D'aplomb sur ses deux jambes, il les salua tour à tour en esquissant de ses mains ce qui ressemblait à des excuses ou un aveu d'impuissance. Il émergeait d'un cauchemar, crurent-elles, et la bonne vie continuerait comme avant. Mais c'était une erreur de perspective : il chaussa ses bottes cloutées et se dirigea d'un pas ferme vers le hangar où s'alignaient dans un bel ordre ses machines. Il mit en marche son plus puissant tracteur et le lança contre le château de Mary, heurtant la paroi de cèdre jusqu'à l'entailler profondément, l'affaiblir au point que la tour s'effondra enfin dans le vacarme. Et tout ce temps, il y avait Mary qui s'accrochait à son bras, qui descendait de la machine en menaçant de se jeter sous les roues, qui revenait le supplier de s'arrêter, mais il ne la voyait pas, perdu dans sa tâche essentielle de destruction. Quand il n'y eut plus qu'un fatras de planches brisées, de poutres et de bardeaux, Eddy étouffa le moteur et dit « C'est la fin du château ». Puis il s'empara d'une hache et se dirigea vers la grange, en pleine exubérance, l'œil allumé comme celui qui réalise un vieux rêve. Aussitôt après avoir poussé la porte, il se précipita sur B.B. et l'abattit d'un coup de hache au front.

Comment Mary aurait-elle pu jamais lui pardonner d'avoir mis ainsi fin à son désir de l'altitude dans ce pays trop plat? Et d'avoir abattu B.B. comme un barbare? alors que cette bête ne demandait qu'à mourir de sa belle mort, si celle-ci survenait jamais, ou peut-être mourir d'épuisement, un jour, peut-être, après une folle chevauchée. Mary lui cria «Tu n'avais pas le droit!» et le soir elle confia à sa mère «Ton mari est fou, fais quelque chose». Elle ne comprit d'ailleurs jamais quel démon avait pu le précipiter dans cette deuxième tragédie. Pour le reste de la vie quotidienne pourtant, Eddy était devenu un autre homme. Charmant, apparemment attentif aux autres, presque fin causeur, il avait fait peau neuve dans sa fosse. Il ne cessait plus de philosopher, semant à tout vent l'idée que le Canada est un drôle de pays: quand il fait beau, disait-il, on se croit riche; quand il fait mauvais on est ruiné! Bref, c'était un pays qui ne tenait pas ses promesses, et cette seule idée lui valut déjà une certaine consécration.

C'est du moins ce que disait sa femme. Et comme il n'avait pas pu faire face à ses énormes dettes, il avait tout bradé au prix du jour, ses terres, la machinerie agricole, les bâtiments, les silos, la maison, et il avait loué un palace à Saskatoon, rue Victoria, avec vue imprenable sur la rivière. «Et de quoi vivrons-nous?» demanda sa femme. Il afficha un sourire énigmatique, «Patience, tu verras!», mais il refusa de s'expliquer. En fait il avait eu dans sa fosse l'illumination de la politique. Si la terre ne rendait pas, la politique du moins faisait vivre son homme! C'est pourquoi il exerça d'abord ses talents sur son proche entourage avant de se lancer sur la scène publique. «Veux-tu répéter ta question?» demandait-il souvent à sa femme ou à Mary pour se donner le temps de bricoler une réponse, et il avait tellement l'air de se concentrer que ne pouvaient tomber de sa bouche que des paroles de sagesse. Son style plut et la rumeur de sa compétence se répandit comme la poussière sur le vent, si bien qu'au bout de quelques mois on lui fit place dans la cohorte des futurs élus.

Aux élections, il passa comme lettre à la poste et se frotta aux problèmes nationaux avec la même ardeur qu'il avait mise à lutter contre la grêle, la pluie, la sécheresse. Il promit de gérer le pays à la manière d'une exploitation agricole. Enfin une idée qui avait du sens! clamait-on autour de lui, une idée si concrète qu'on avait l'impression de la voir pousser. Ce fut son deuxième succès politique. Il chercha plus tard à mettre ses concitoyens à l'abri. À l'abri du temps mais surtout de l'Amérique. Eddy avait une vision du pays qu'on trouva rafraîchissante, il fit fureur en déclarant que nous n'étions ni ceci ni cela et que rien ne valait un clou. Il n'était personnellement ni Américain, ni Anglais, ni Français, ni Écossais, ni Québécois. Ni Meech, ni Charlottetown, «pourquoi vouloir servir l'apéritif aux Québécois quand ils sont déjà à table?», ni Toronto, cette excroissance états-unienne, ni New York, lamentable ramassis de béton et de crimes. Ni le passé, ni l'histoire,

quelle histoire ? Ni le présent qui s'embourbe. Il faisait place nette, il définissait le pays par le vide
mais ne cachait pas qu'il entrevoyait des miracles
à l'horizon, rien que du soleil – il suffit d'être pa-
tient –, et des cascades de grain comme de l'or qui
roule, et si vous êtes dans la dèche c'est que vous
regardez du mauvais côté – prière d'exécuter un
petit quart de tour ! et vous aurez de nouveau foi
en l'avenir. La vie n'était en fait qu'une sorte
d'emprunt sur l'avenir, expliquait-il, mais sans personne pour gérer les créances. On ferme les yeux
et on fonce ! « Et tes culottes, tu les dois à l'avenir ? »
demanda un électeur sceptique. « Peut-être, mais je
ne vois pas qui oserait me les enlever à part Dieu
lui-même ! » rétorqua-t-il.

En soignant d'une main la chèvre tandis qu'il
caressait de l'autre le chou, Eddy s'enrichit suffisamment à titre de ministre de l'Agriculture pour
racheter son domaine, mis de nouveau en faillite
par un propriétaire qui n'y connaissait rien, et il se
réinstalla sur sa terre.

À la première heure, en même temps que le
soleil, Mary arpenta les champs. Elle n'avait jamais
pu s'habituer à la ville, c'est donc avec des palpitations au cœur qu'elle retrouva les douces ondula-
tions de sa terre, ses bottes et ses vieilles hardes
comme une peau supplémentaire, et l'odeur du
vent lâché dans l'espace. Puisque Eddy travaillait
surtout pour ses électeurs, auprès de ses électeurs
serait plus juste, de manière à assurer indéfini-
ment sa réélection, Mary s'empara en douceur de
la direction des travaux.

Tout alla bien : elle ne revit pas tout de suite son copain Paul, par qui l'idée du plaisir lui était venue ; elle rangea ses livres ; afin de montrer son contentement, elle emprunta un sourire qui tenait pour moitié du sourire électoral de son père et pour moitié du sourire défait de sa mère. Puis elle décida de se diversifier en se lançant dans le porc, afin d'être moins à la merci de la température. Tout allait si rondement qu'un jour de pluies diluviennes, tandis que les porcs pataugeaient et fouissaient du groin en poussant des grognements d'extase, que son père était à la ville, que sa mère continuait d'inexister, Mary monta sur son tracteur pour chercher des ballots de maïs qui traînaient au bas du champ. Oh ! cela aurait toujours pu attendre, mais Mary ne connaissait rien à la patience, elle avait toujours marché en devançant ses propres pas, ce qui lui donnait l'air de se dandiner, et maintenant elle conduisait son tracteur avec la frénésie d'un coureur automobile. Au bas de la pente, au plus creux du terrain, elle aperçut un lac insolite qui faisait bien cinq cents mètres de longueur, et elle sentit que son tracteur s'immobilisait, les roues tournant à vide. Elle jura en accélérant davantage et sauta de la machine. Elle n'avait pas pris le temps d'analyser l'état du terrain et elle se mit en frais de pousser le monstre toujours en marche. Couverte de boue, battant des bras comme un épouvantail mécanique, elle s'enlisa lentement jusqu'aux genoux d'abord, jusqu'à l'entre-jambe ensuite – et ce frisson glacé lui déplut, « putain de tracteur » qui continuait de s'envaser –, puis jusqu'à la taille. Et tandis qu'elle s'enfonçait, elle songea à un poème de son crû qui lui avait valu les honneurs de sa classe et qui s'intitulait « Éloge de la verticalité ». Il y planait des ailes qui venaient coiffer des obélisques, les tours y jouaient avec les gratte-ciel, et la Grande Roue tournait dans le soleil. Le poème se terminait sur ces mots : « Nous habitons tous l'Amérique/Comme des enfants qui rêvent. »

Soit ! Mais le rêve l'empêche-t-il de s'enliser ?

Promenade

Quand tu te promenais dans la ville de Saskatoon en tenant la main du rêve de ton père, Mary, tu croyais toujours que l'avenir courait devant toi, qu'il te suffirait d'accélérer le pas pour en hâter l'avènement ? Oui, c'est un peu ça. Elle admirait les têtes orgueilleuses des quelques gratte-ciel mais résistait au désir d'y grimper : il lui suffisait de regarder ses pieds, qu'elle croyait toujours couverts de boue, pour y renoncer. Confondant les velléités de son père avec les siennes, elle n'en caressait pas moins le désir de devenir avocate. Elle fonçait maintenant tête baissée sur la ligne droite, où chaque heure écoulée lui paraissait analogue au grain de blé qu'on sème et qui finira peut-être par produire quelque chose au bout du compte. Elle attendait le miracle qui allait transformer ce qu'elle touchait en argent sonnant, puisqu'elle voulait éviter à tout prix les faillites successives de son père et une trop grande ressemblance avec le visage défaillant de sa mère, « tout juste bonne à courir les offices religieux et à mitonner de petits plats pour un arriviste ».

Une fois réinstallée solidement dans la maison familiale des Smith, elle s'entêta à braver son père, parce qu'elle se souvenait d'une scène atroce qui résumait son adolescence et remontait à l'époque où elle papillonnait avec Paul, le doux instrument de son initiation.

Dialogue d'un père et de sa fille :

— Rêveuse ! je vais te causer de la réalité, moi ! Pendant que je me décarcasse pour assurer à ma petite famille…

— … ridicule…

— … un confort minimal, de quoi manger chaque jour, sans compter les à-côtés et les loisirs, toi, Mary…

— … moi Mary je plane.

— Oh je le voyais trop déjà dans le temps, à ta manière de jeter les restes de table, de faire tes devoirs du bout des doigts et apprendre tes leçons les yeux au plafond, de rêver à celui qui te sortirait de ce trou…

— Qu'est-ce qui t'arrive, papa ?

— … de penser que la vie qu'on te propose n'a rien d'intéressant, que tu ferais tellement mieux si seulement on te donnait la gouverne de tout ça, ou je ne sais pas, moi…

— C'est la sécheresse qui t'a affecté le cerveau ?

— Je t'en ferai voir moi des sécheresses, d'abord apprends qu'on ne peut rien contre la nature, on la subit et quand on a une chance de prendre sa revanche, on fonce…

— C'est ce que je crois, moi aussi, pourquoi tu t'énerves ?

— Tais-toi, tu m'embrouilles, je ne sais plus où j'en étais, ah oui ! il faut vivre aussi avec sa raison, pas seulement rêvasser là, dans ton lit, et gaspiller ton temps à ne rien faire, à croire que tout existe en fonction de toi ; tu as raison quant à nous, ta mère et moi, parce que tu es notre plus grand bien, notre perle…

— Tu parles !

— … oui oui, tu es ce que nous avons de plus précieux et nous ne supportons pas de te voir te gaspiller, dilapider mes biens (il voulait dire dilapider ton corps avec n'importe qui), t'adonner à n'importe quoi qui ne rapporte rien (il voulait encore dire te donner à n'importe qui, ou même élever des cochons, par exemple), au lieu de poursuivre la tradition familiale de père en fils…

— … fille…

— … gaspiller ta jeunesse…

— De quoi tu parles ?

— … chaque don nous est mesuré et compté, on ne peut pas faire comme si on disposait de toutes les richesses du monde sans devoir en rendre compte un jour…

— Tu parles de la terre ? Mais tu ne la ménageais pas beaucoup !

— Je parle de toi, pauvre enfant, tu vis comme une dévergondée, t'es-tu seulement interrogée à l'Office du dimanche ou si tu y passes ton temps à rire des chapeaux des autres ? Interrogée sur ce que tu faisais avec qui tu sais…

— Paul ?

— … et tous les autres, tu diras que ça ne me regarde pas, je sais, j'aurais dû intervenir plus tôt, une si jeune fille qui se conduit comme une putain !

— Hein ?

— Je l'ai compris à ta seule façon de me regarder. Tu me regardais, tu me regardes toujours de haut comme si je ne pouvais plus rien t'apprendre, plus besoin de nous, tu crois que tu peux t'emparer de la vie d'un seul coup en nous semant dans la poussière, ta mère et moi, comme si on n'avait toujours eu qu'une seule mission : te mettre au monde et nous éclipser.

Bref c'est l'éternel procès que s'intentent les générations pour reconnaissance de dettes : celle qui va bientôt passer la main ne se rend pas compte de la soumission qu'elle exige et, partant, de son désir de nier l'avenir de la génération montante. Cette dernière ne se rend pas compte du fait qu'elle désire nier en vrac tout ce qui l'a précédée, afin de s'attribuer le mérite entier de l'éventuelle réussite. La succession des générations ou le passage des pouvoirs sont presque toujours marqués au coin de la haine, de l'envie, à tout le moins de l'infini déplaisir de ceux qui sortent de scène et de l'enthousiasme téméraire de ceux qui y montent pour nous recommencer le monde, mais qui ne font souvent rien que recommencer.

Mary pense : il est jaloux comme un cochon, le ministre, il a passé son temps à parler de profits, profits, profits, quelquefois des pertes qu'il entrevoyait, alors c'était le drame. Je lui disais, « Tu épuises la terre », il répondait qu'il faut prendre notre part de l'avenir, « c'est d'avenir que nous sommes riches », mais l'avenir s'épuise on dirait ! « La terre, je l'ai payée, qu'elle rende ! » protestait-il. Et puis chaque fois que Paul apparaissait au bout du sentier, Eddy changeait de couleur, il se sentait fatigué tout à coup, il déprimait à vue d'œil, il me trouvait des tâches devenues soudainement urgentes, et si je traînais un peu, je donnais la mesure de mon irresponsabilité, « Allez Mary, grouille ! et fais-moi la grâce de ne pas adresser la parole à l'intrus ! », il parlait de Paul ! Quant aux autres, ils n'ont pas été si nombreux, et que le ministre aille tramer ses magouilles ailleurs ! Pauvre Paul, comment lui en vouloir de toute manière ? « Essaie d'abord cela, Paul, la main plus ferme, tu me chatouilles, tu te prends pour une fourmi qui me monte sur le corps ? » Et trop heureux de l'aubaine Paul s'exécutait avec application, il en remettait et, emporté par le mouvement, il lui arrivait d'inventer. Pauvre suave Paul, mais pauvre Eddy tout court !

À Saskatoon, Mary eut des prétendants bien sûr, des amis sur qui planait l'ombre de Paul, des amants occasionnels, l'ordinaire de la jeune fille délurée qui veille à sa santé mentale et physique. Après les cours, il y avait des échanges polis sur le temps, les études, la politique et parfois, selon la séduction de l'air, une proposition directe qui la laissait sans force. Ils se retrouvaient bientôt dans son lit, qui n'était pas le nid de la tour, elle craignait pourtant chaque fois de trouver une paille dans sa culotte.

Maintenant Eddy est ministre des Finances, on l'a chargé de sauver le pays de la faillite. C'est sa manière à lui de continuer à veiller au grain pendant que Mary s'enlise. Mais il aura fort à faire car il gouverne un drôle de pays qui, faute de culture, court après toutes les cultures et qui, faute d'argent, se fend le jupon en dix pour séduire les banques. Les événements aussi lui font défaut, alors il s'en invente en parlant de l'imprévisibilité de la température.

À vrai dire, ce n'est pas tout à fait ainsi que les choses se sont passées. Le député Eddy Smith ne fut pas réélu, parce qu'il est malheureusement tombé sur l'année où le peuple avait décidé de changer de gouvernement comme on se retourne dans son lit en grommelant pour changer le mal de place. Et Mary revit Paul plusieurs fois et décida de l'épouser par défaut. Je veux dire qu'il s'avéra le seul prétendant à lui promettre le bonheur, soit de ne jamais varier ni de s'éloigner de la terre de son père. « Ah la terre ! On y tient tout de même beaucoup ! » dirait un certain douanier de ma connaissance. Paul était ministre du culte, quelque part entre Moose Jaw et Chaplin, et je l'ai même rencontré à cette époque. Pour lui l'affaire était entendue, il avait su dès le premier instant qu'il allait épouser Mary. J'ai demandé pourquoi. Il m'a longuement expliqué qu'elle lui était destinée de toute éternité puisque, dans un moment d'égarement, il avait pris sa virginité. Je lui ai fait part de mon étonnement : faut-il toujours épouser la première personne avec qui on a joué au docteur ? Paul aurait pu être splendide, mais il se tenait droit dans un costume étriqué – le désir de ne pas passer pour un paysan sans doute –, il se surveillait quand il marchait, il se surveillait quand il dormait afin de ne pas empiéter sur le côté de Mary, et quand il parlait il y avait dans sa voix l'écho de la voix de Dieu. «Pas forcément... concéda-t-il, mais on a plus de chances, parce que la voie est tracée d'avance». Le ministre du culte de Mary me donnait de l'urticaire... Et toi, Mary, est-ce qu'il produit sur toi un effet quelconque ? «Il me donnera vite envie de mourir, parce qu'il ne fait aucune place à la fantaisie.»

Au fait, Paul était occupé à prier au temple au moment où Mary s'enlisait. Elle s'enfonçait et, la sachant sans malice, une grande corneille s'est à ce moment posée sur son épaule – qui ne ressemblait en rien à celle d'un épouvantail –, avant d'enfouir sa tête noire dans la chevelure blonde.

Il fit beau, il plut, il neigea, il fit beau, la neige fondit, il fit beau, il replut... La Grande Roue du cirque s'emballa, se mit à dévaler les collines, traversa les forêts, les frontières, semant dans le lourd sillon qu'elle ouvrait dans le sol des centaines de curieux, qui repoussaient aussitôt pour l'acclamer, elle, la Roue, y grimper malgré les risques, s'y accrocher tandis que les autres s'inclinaient sur son passage. On n'avait jamais vu un tel prodige, et le peuple de la Grande Roue se mit à prier, tandis que la Corneille survolait la scène et fonçait vers le Sud, une mèche de cheveux blond blé au bec.

Tableau IV

Le feu

« We got Destiny on our side »
(réclame états-unienne)

À chaque coin de rue la ville rencontre la ville :
à coups de klaxons, sifflets de policiers, sirènes
d'ambulance, taxis, taxis, taxis, et cette rumeur continue des machines roulantes, grondements sourds
ou feulements clairs, ponctuée de temps à autre
d'un cri strident comme une déchirure. New York.
Car cette rumeur étouffe les voix humaines et les
traîne sur de courtes distances comme la mer fait
des noyés. Le piéton le sent si bien que monte parfois en lui le besoin irrépressible de se mettre à hurler dans le simple but d'affirmer son existence. C'est
du théâtre, un grand jeu dont l'individu qui crie est
conscient, mais les spectateurs se méprennent
encore souvent sur le sens de son cri et le reçoivent
comme une menace. Pour ma part je le trouve
admirable, et allant de soi. Comment n'y aurait-il
pas ces petites explosions hurlantes, seules capables

de crever la bulle de bruits qui enclôt New York et
la maintient dans une sorte de réalité factice, celle
d'un décor? Si je m'abstiens de crier, c'est que je n'ai
pas encore trouvé le ton qui convienne, mais lui, le
grand Noir, là, qui s'arrête et se retourne, il sait
glousser en cadence, et son gloussement me signale
qu'il y a là un homme qu'il ne faut pas confondre
avec les bruits de la ville. Je le regarde. Il capte mon
regard et, satisfait, reprend sa marche.

Au coin de la 7e Avenue et de la 53e Rue, personne ne criait ce jour-là mais une jeune fille,
accompagnée de sa sœur et de sa mère, s'est mise à
chanter d'une voix forte, entre deux éclats de rires.
Sa mère l'a saisie par le bras, l'air considérablement
gêné, et l'a vivement poussée dans le restaurant. Je
leur ai emboîté le pas.

J'y suis entré car je voulais manger pour survivre, je veux dire que je ne suis pas allé au restaurant pour déguster un bon repas mais parce
que je suis pressé, je veux me nourrir en y consacrant le moins de temps possible avant de suivre
ma route. Bref, je deviens new-yorkais non pas par
esprit d'imitation mais par nécessité pratique.
Escomptant qu'on allait me servir quelques minces
bâtonnets de côtelettes de porc, comme on en
trouve à Montréal dans les restaurants chinois,
j'avais pointé du doigt les «Pork Chops», et le garçon avait disparu. Dix minutes plus tard il m'apportait la moitié gauche de la poitrine d'un porc
(16 vertèbres) et la déposait dans mon assiette.
Alors je me suis esclaffé, il s'est un peu vexé et m'a
demandé ce qui n'allait pas.

À ma gauche, Mary, June et leur mère prenaient aussi leur repas. L'une a la voix haut perchée, elle stridule tout en déchirant à belles dents l'autre moitié de la poitrine du porc avec lequel je me débats. Elle lèche ses doigts et se plaint du service. Il manque ceci et cela, le garçon les néglige, il a les deux pieds dans la même bottine ! Celle-là s'appelle June. L'autre est toute grâce et chantonne en picorant dans son assiette. Elle n'a pas faim parce qu'elle est amoureuse. Elle s'appelle Mary et, quand elle chantait tout à l'heure au coin de la rue, elle voulait simplement que son message d'amour triomphe des bruits de New York. Si leur mère les couve du même regard amoureux, June sent bien que le temps que lui accorde sa mère lui est mesuré tandis qu'il n'y a pas de limites à la connivence qu'elle entretient avec Mary ; June sait qu'elle est perdue parce qu'elle a eu la malchance de naître à côté de Mary, c'est pourquoi elle a déjà renoncé à plaire. Bien que Mary n'ait besoin de personne ni de rien, cela se voit, sa mère a envie de tout lui donner pour ajouter encore à ce qu'elle possède. Elle fait partie de ces êtres qu'on ne se lasserait pas de regarder, parce qu'on tire une incommensurable gratification de leur beauté rayonnante. J'aurais fait le pitre à la table voisine de la sienne seulement pour l'entendre se moquer de moi et peut-être poser distraitement sur moi un regard amusé. Pauvre June en effet, condamnée au sortir de l'enfance à rivaliser avec la grâce, je ne donne pas cher de son avenir ! Mais croyez-vous vraiment que Mary soit tirée d'affaire sous prétexte qu'elle a tout reçu et qu'on lui donne davantage? Malgré mon désir de m'attarder en leur presque compagnie, je dois filer vite fait, les côtes de porc me pèsent sur l'estomac et je ne voudrais surtout pas m'effondrer dans une rue de New York et que Mary, venant à passer, me prenne pour une cloche.

Mary a rencontré Ed un jour de pluie, quand elle hésitait à franchir la distance qui la séparait de la bouche du métro. Il a vu son hésitation, toute ramassée dans les muscles de ses mollets, ce qui la faisait osciller d'avant en arrière comme si elle allait s'élancer à tout moment sur la pointe des pieds, mais elle retombait toujours sur ses talons. Il a vu les volutes de ses cheveux irisées par la pluie, son regard amusé quand elle a compris qu'il l'avait percée à jour, au moment où il se mettait à danser lui aussi pour se moquer d'elle. Ce fut un coup de foudre réciproque, qui éclaira en un instant tout le ciel de New York et les poussa à marcher sous la pluie comme s'il avait fait grand soleil, épongeant de temps à autre leur propre front à défaut de pouvoir laper goulûment l'eau qui ruisselait sur le visage de l'autre.

Il ne lui a pas proposé tout de suite de visiter les bureaux de la société V.R.E., où il travaillait à la capture de mouvements humains et concevait des êtres virtuels dans une fougue délirante. Il y viendrait assez vite pourtant. Depuis quelques années déjà, peut-être avait-il 18 ans, on l'avait recruté parce qu'il avait la bosse de l'informatique, et affecté à la section Top Secret de la Réalité virtuelle. C'était un crack, une bolle qui allait révolutionner l'industrie et nous donner une bonne longueur d'avance sur les concurrents. Jouant avec les données comme un magicien jongle, il terrifiait son entourage par son sens inné de l'invention et par la frénésie qu'il mettait à imaginer de nouvelles interfaces. Les problèmes courants de l'entreprise s'en trouvaient radicalement bousculés quand ils n'étaient pas résolus par enchantement. Il ne serait pas venu à l'esprit d'Eddy de s'attarder devant les bijoux en or de la 47e Rue, mais il pouvait passer des soirées à méditer sur une question plus fine qu'un cheveu d'ange. Et quelquefois il se demandait s'il n'était pas plus machine que les machines qu'il mettait en marche, s'il n'avait pas tendance à raisonner comme elles, en mode binaire, pour se répondre aussitôt que non, bien au contraire, il n'y avait pas encore pour lui séparation nette entre le travail et les moments de loisirs, il départageait mal les nécessités quotidiennes des plaisirs qu'il tirait de n'importe quoi. Parce qu'il n'était pas complètement sorti de l'enfance, il continuait de rêver le monde.

Au moment où il rencontra Mary, il n'avait toutefois pas encore pris conscience du fait qu'il était pressé, pressé d'arriver, pressé d'en finir, pour passer à autre chose, à n'importe quoi pourvu que ce n'importe quoi fût autre et toujours étonnant. Du haut de son gratte-ciel les rues de la ville lui apparaissaient comme les circuits électroniques d'une quelconque plaque d'ordinateur. Il rêvait de mettre au pas les petites voitures qui y circulaient en désordre parce qu'il y avait trop de « bugs » à son goût, le facteur humain, songeait-il, si on pouvait s'en débarrasser une fois pour toutes ! pour que les choses deviennent prévisibles, donc rentables. Il suffirait peut-être de projeter les rues de la ville dans un monde virtuel et de réévaluer toute la circulation... Il avait sa petite idée là-dessus. Il ne pensait pas à lui mais à l'entreprise, qui avait eu la gentillesse de l'installer en plein cœur de Manhattan, dans un appartement de luxe qu'un jeune homme n'aurait pas été en mesure de louer même avec dix compagnons, et fût-il ingénieur. Et ce pouvoir ne lui montait pas à la tête. Il avait plutôt tendance à oublier qu'il le possédait, préférant croire que c'était là le destin d'un peu tout le monde. Une question de chance, en somme, puisqu'il lui avait suffi de passer sous le pommier au moment où tombait la pomme.

Il regarde Mary, il sait que sa propre vie est en train de bifurquer et qu'il n'y peut rien, d'autant moins qu'il en tire une gratification jusque-là insoupçonnée. Pour la première fois de sa vie il se trouve en compagnie d'une jeune fille qu'il n'a pas envie de « mettre en boîte », c'est-à-dire de faire monter à son laboratoire pour procéder à la capture d'une série d'images et de mouvements qu'il versera dans sa banque de réalités virtuelles. Il se passe en lui des choses qu'il n'arrive pas à définir mais qu'il range avec certitude du côté de l'enchantement. Pour sa part, elle sent qu'elle n'a plus à chercher, que celui-là lui apportera tout, un supplément de malheur en prime, même si elle n'a pas une idée nette de la nature de ce malheur. Une sensation d'étrange bonheur l'emporte pour le moment sur tout le reste. Elle aussi s'impatientait, avait hâte de brûler comme un feu d'artifices, quitte à retomber sur le sol et à espérer dans le noir que tout recommence.

— Tu es toute trempée ! Je t'offre un verre ?

— Pourquoi pas !

La pluie avait diminué. Ils ne se sont pas précipités dans un bar, ils ont plutôt continué à marcher dans les rues, vaguement à l'affût d'un restaurant digne de les accueillir, car ils avaient conscience de l'aspect exceptionnel de leur rencontre. Ils firent donc les présentations en raccourci, parce qu'il n'y avait pas lieu d'insister, leur corps et les battements de leur cœur parlant d'eux-mêmes. Au bout de quelques minutes, l'éclair du regard les avait déjà soudés, fondus en une même matière désirante. La ville, le bruit, les voitures, le travail, tout était soudain projeté dans une autre dimension, comme l'accompagnement lointain de leurs pas sur le mode d'une volée d'applaudissements. Pour peu qu'on soit attentif à leurs timbres particuliers, les bruits et les formes chantent bien sûr, le ciel nuageux a quelque chose de ouaté et de tendre, les gratte-ciel ont été plantés là de toute éternité pour servir d'abri ou de rempart contre le vent... Puis ils entrèrent dans un lieu qui pouvait être le restaurant d'un hôtel et s'assirent, après avoir hésité longuement à choisir la seule table qui convenait, un peu à l'écart pour causer à l'aise mais dans la lumière tout de même, car ils désiraient se regarder surtout, ils en avaient le temps. Plus rien à faire, plus rien d'autre à éprouver que cette attirance démesurée qui les jetait dans une mutuelle fascination.

Mary commanda un café noir, « pour me réveiller » dit-elle, non pas qu'elle se crût mal réveillée, elle n'avait jamais été aussi fébrile, mais pour échapper au rêve qui prenait possession d'elle. Ce n'était pas une idée précise, ni rien qui ressemblât à un projet. Elle se sentait envahie, son corps était envahi par une lumière qui en activait chaque molécule, elle sentait sa peau présente sur toute la surface de son corps, ses seins doucement enfermés dans son corsage, ses cuisses chaudes, et elle savait que c'était à cause de lui. Elle voulait briser le charme qui la tenait depuis bientôt une heure, se réveiller, retomber dans le monde des mortels ordinaires. Elle se savait emportée déjà sur l'aile du sentiment amoureux, mais le fait que son désir lui parut sans borne et donc déplacé l'agaçait légèrement. Elle ne souhaitait pourtant pas en sortir et risquer de perdre brutalement l'euphorie qui la transportait. Alors elle buvait du café noir. Eddy eut envie de répliquer qu'elle n'avait pas du tout l'air endormi, qu'elle rayonnait plutôt, au sens propre du terme, mais il se ravisa.

Il sut qu'elle était prise de vertige parce qu'il se voyait pris de la même manière, pareillement tombé sous le charme. Ses mondes virtuels lui parurent soudain aplatis, en train de glisser dans la marge, car il manquait quelque chose à ces petits objets terriblement ingénieux mais terriblement

objets, justement. Il lui faudrait revoir ses stratégies
et multiplier les éléments qui rendent naturel le
simple fait de lever un bras par exemple. Et il se
demanda sur quelle planète il vivait jusque-là.
« Bon d'accord ! dit-il, tu es une fille… » « Ça se voit
tant que ça ? » demanda-t-elle en éclatant de rire.
Déjà il l'imaginait célèbre, offerte aux autres, à la
une des journaux, sa belle figure en médaillon
livrée au public. Sa beauté servirait à alimenter le
rêve de tous les ratés, les malheureux, les débris de
la société, et il se demandait s'il y aurait encore
une place pour son propre rêve dans les aventures
publiques de Mary. Vaguement jaloux déjà, ou
peut-être s'agissait-il tout simplement d'un jeune
homme inexpérimenté saisi d'amour ? « Pas plus
vieux jeu que la peinture ! » fit-elle. « Quelle sorte
de photos ? Tu t'intéresses à quoi en particulier ? »
« Mais à tout, n'importe quoi ! Ce n'est pas seulement l'objet qui est intéressant, c'est le regard qu'on
pose sur lui. » « Passionnant ! dit-il. Mais si c'est
n'importe quoi, alors ce pourrait être moi ? »
demanda-t-il, gonflé d'émerveillement à l'idée de
devenir le sujet de ses photographies, son objet
pour tout dire. Il la voyait s'acharnant dans
l'arrière-boutique de quelque vieux photographe,
penchée sur des clichés morts, tandis que lui pouvait non seulement reproduire des objets, non seulement était-il capable de les animer comme au
cinéma, mais encore il était en mesure de leur
faire faire n'importe quoi qui n'avait pas été prévu :
un casque, un gant, une tunique, et voilà que le
magicien entrait en scène, la réalité obéissait enfin

à ses moindres caprices, la réalité se mettait au service du rêve. C'était exorbitant! et quel individu
refuserait ce privilège, ce nouveau pouvoir sur le
monde? On aura beau dire que ce monde-là n'est
pas vrai, où est la différence? Malgré son enthousiasme, il n'osa pas tout de suite avouer à Mary
qu'il collaborait à ce projet top secret de figuration
humaine, car il craignit l'entendre dire que c'était
du vol de personnalité!

Il regarde Mary pour la centième fois en une
heure, un peu à la dérobée afin de ne pas la gêner
par son insistance vorace, il la trouve sublime. Elle
est belle bien sûr, la figure parfaitement ovale, les
cheveux d'un roux sombre, les ailes du nez minces
et palpitantes, le cou blanc comme un nuage
blanc. Il arrive même à mettre au compte de sa
beauté les petits défauts de sa figure, la paupière
un peu trop lourde du côté droit par exemple, qui
étend sur son œil une ombre étrange – plutôt fascinante songe-t-il –, et cette canine qui retrousse
un peu la lèvre quand elle sourit. Mais tout cela
fait partie de sa grâce, cela n'a lieu que pour nous
rassurer, nous prouver qu'elle est humaine, un
peu. Il lui fait part de ce prodige: pourquoi sa dent
déviante la rend plus belle que si elle possédait
une dentition parfaite? Elle rit et tempère son
enthousiasme: s'il la trouve si belle c'est simplement qu'il rêve. Elle se souvient cependant des
tableaux de Miro qu'elle a vus récemment au
Museum of Modern Art. Les plus beaux tableaux,
à son avis, sont ceux dans lesquels se glisse une
légère hésitation, comme une maladresse que le

reste du tableau s'emploiera à corriger sans fin. «Et si je les trouve plus beaux, c'est sans doute parce qu'ils sont rendus plus vivants à cause de cela même. C'est le petit défaut qui assoit la beauté dans notre monde, c'est la seule trace de la main humaine, tu ne crois pas?» «Tu parles comme un livre, mais je suis bien d'accord.» Eddy ne connaît rien à l'art, qui échappe totalement au langage binaire; il n'a jamais rien vu d'équivalent dans ses circuits électroniques: ceux-là fonctionnent ou pas, complètement étrangers à la notion d'harmonie. Mais ses fragments de réalité virtuelle auront besoin des leçons de Mary, parce qu'il projette d'imiter si parfaitement le réel qu'on ne pourra bientôt plus distinguer ses créations de la réalité elle-même. Et pour le moment il leur manque la beauté dont parle Mary: la trace de l'imperfection humaine.

Il ne demande pas à Mary si elle est amoureuse de quelqu'un d'autre, il sait que non, pas plus qu'il ne se demande si elle accepterait de vivre avec lui: il sait qu'il ne pourra pas vivre sans elle. Alors il ne parle plus et se contente de la regarder. Puis il a envie de la toucher, il frôle le dos de sa main et ressent une légère brûlure. À la fin de l'après-midi ils se rendent compte qu'elle a séché ses cours et qu'il a oublié de rentrer au travail. C'est un coup de foudre qui a ceci de particulier: il est tombé dans le cœur d'une jeune fille qui possède déjà tout, y compris le bonheur, et dans celui d'un homme qui s'est égaré dans la complexité des choses et qui découvre subitement l'appel simple de l'amour.

Comment n'en seraient-ils pas bouleversés au point de vouloir en mourir un jour?

Le lendemain donc, à cinq heures, il l'appela en catastrophe, il fallait qu'il la revoie, tout de suite, c'était vital. Il avait songé à elle toute la journée, il travaillait comme un halluciné, il lui venait des envies de plaquer ses circuits au mur, d'en faire des objets d'art, de la dessiner, elle, de la sculpter en utilisant la lumière pour seul matériau. « Tu exagères un brin! » « Pas du tout! Qu'est-ce que tu crois? » Le jour d'après, c'est elle qui était au bout du fil, qui le relançait à son travail, alors qu'il faisait des efforts monstres pour se concentrer sur ses fichus gadgets. Elle feignit d'avoir pensé à lui par hasard, en avisant dans la rue les enseignes électriques.

Ils se précipitent, ils sont livrés l'un à l'autre, et cela ne suffit pas, il faut trouver une chambre, vite. Il voudrait réduire le monde en miettes si le monde faisait obstacle à son désir, et elle préférerait croire que le monde n'existe pas s'il tentait de s'interposer entre eux. « On va chez moi, d'accord? » « D'accord. » « On prend le métro? » « Non c'est trop lent. Un taxi. » Taxi! Taxi! Merde, Taxi! Le chauffeur les observe tout le long de la course, l'œil attendri, entre le sourire et les larmes, parce que lui-même avait oublié que cela existait, la fascination amoureuse, et il tâche de se la rappeler en volant quelques bribes du bonheur qui flotte autour d'eux. Il sent tout de même le besoin de les piquer pour s'assurer que ses yeux voient juste : « Y a le feu? » « Hein? fait Eddy. Oui oui! Contente-toi de conduire.» «C'est ce que je fais, man!» «Conduis-nous à la bonne adresse!» dit Mary avant de fondre de nouveau dans les bras d'Eddy. Ah! parce qu'ils parlent en écho maintenant. «Ta ta ti, ta ta ta, ta ta, ti», ça commence à chanter dans la tête du chauffeur, un latino moustachu, visage sympathique, l'air au-dessus de ses affaires. Avant de les laisser, il demande «Pourriez-vous me dire comment vous faites?» «On fait quoi?» «Ça, bon Dieu!» et il se prend dans ses propres bras et se berce, mais il le fait sans ironie, il est content. C'est une journée bénie des dieux, il a rencontré le bonheur qui a consenti à poser ses fesses sur la banquette de son taxi pour un petit quart d'heure. «Hey man, good luck!»

Il en a besoin de la chance, Eddy, même s'il croit aujourd'hui qu'il est dans la main de la chance. Ils ne se ruent pas l'un sur l'autre comme des enragés, ils prennent le temps d'accorder leur présente vision avec leur ancien rêve d'amour, de se découvrir par le menu, qu'à une surprise succède une autre surprise, de se déguster à petites lampées, que le naufrage dans la chair de l'autre soit progressif – et irrémédiable. Puis ils entrent dans le buisson ardent, ils flambent, ils croient qu'ils vont mourir. Ils sont peut-être morts. Elle promène sa main sur l'épaule d'Eddy, monte jusqu'au sommet de son crâne et cogne trois petits coups délicats. «Pourquoi m'appelles-tu?» demande-t-il. «Où étais-tu passé?» Il n'en sait rien, il était là, avec elle, mais il était ailleurs en même temps, une façon de dire qu'une barrière s'est effondrée, le cercle magique

qui les enclôt chacun en soi-même s'est rompu et,
l'espace d'un instant, ils ont cru partager le même
cercle. Pourquoi m'as-tu appelé? Car cette présence
distincte le fait retomber dans son cercle à lui, mais
il a eu le temps d'entrevoir après quoi court
l'humanité, ce formidable leurre qui masque le
piège dans lequel elle culbute à tout coup pour
assurer sa reproduction.

Au paroxysme de l'amour, quand elle se sent
emportée jusqu'à perdre un instant le contact avec
ce qui l'entoure, Mary s'étonne de ce sortilège qui
l'arrache au réel pour mieux l'y replonger en un
sens. Cet enchantement proviendrait-il de l'étrange
pouvoir du sentiment amoureux qui transforme le
simple échange physique en une magie blanche,
où le sens vient aux choses les plus insignifiantes,
comme cette manie qu'il a de faire parler ses
mains tout en gardant le silence : elle devine pourtant la couleur de ses pensées rien qu'à la forme
de ses arabesques. Car elle voit mieux, elle entend
mieux, elle vient de monter dans le train de la vie.
Quelque chose s'est déclenché en elle, comme un
sixième sens. Le monde lui est livré. Et dans la
plainte d'Eddy elle croit reconnaître la protestation
de l'enfant en train de naître, mais aussi le vague
effroi de celui qui meurt. Ils misent tous deux sur
la suite des jours pour atténuer le choc de ce tremblement de l'être.

Ils recommencent, ils continuent ainsi pendant
un an. Ils recommencent, sous la photo magnifi-
quement réussie par Mary d'elle-même en Eurydice à demi effarouchée et de lui en Orphée énig-

matique, l'aire du lit traversée et magnétisée par le croisement de leur regard. Sur l'œil droit de Mary s'étend toujours une ombre lourde comme un secret : en cachette d'Eddy — le lui dira-t-elle un jour ? — elle consomme ses bonbons de crack pour ralentir le temps, pour voler de la profondeur au temps, aux sensations, pour rendre la vie plus vibrante et le plaisir intenable au point qu'il ne lui reste plus qu'à éclater, que les particules de son corps retombent en fine poussière jusqu'au bitume de la rue, où le vent s'en empare à nouveau, et qu'elles tourbillonnent ! Sur une photographie on confondrait son corps ainsi dématérialisé avec une nappe de brouillard.

À l'entreprise d'Eddy les découvertes nouvelles bousculaient l'ordre ancien des choses et les photos archaïques n'avaient plus beaucoup de sens ni d'utilité. Il cherchait à lui imposer une visite du laboratoire, ne serait-ce que pour amener Mary à comprendre ce dont il lui parlait et à partager peut-être son enthousiasme pour les objets virtuels. Elle céda. Il l'entraîna au seuil de son monde en la tirant par la main. Puis il l'installa dans l'espace réservé aux modèles vivants, lui plaqua des électrodes par tout le corps, surtout au creux des articulations, « Qu'est-ce que tu fais ? Tu m'avais dit seulement pour voir ! » « Tu verras mieux ainsi. Bouge, bouge un peu. Danse, tiens, sur cet air par exemple. » Il mit un disque des Platters, « Only you » dit-il. À l'écran le modèle dansait en reproduisant exactement les mouvements de Mary. Elle eut l'impression que quelque chose s'était détaché

d'elle pour aller poursuivre ailleurs une vie auto-
nome. C'était beaucoup plus étonnant que le
simple reflet de ses gestes dans un miroir, puisque
ses mouvements passaient par l'ordinateur où ils
étaient décodés, analysés et reproduits sans délais,
mais pour être finalement attribués à quelqu'un
d'autre. « Fascinant », dit-elle. « Mais le personnage
que tu vois à l'écran est encore trop schématique,
je veux faire mieux, je veux qu'on ne puisse plus
le distinguer d'une personne réelle, de toi par
exemple ! » Qu'il n'y ait plus de différence obser-
vable entre ses constructions virtuelles et ce qu'on
nomme bêtement la réalité.

La société V.R.E. songeait à des simulateurs de
tous ordres pour des applications commerciales,
mais lui, Ed, détournait ses recherches au profit de
Mary, croyait-il, englobant l'informatique et Mary
dans un même projet amoureux. Car depuis
quelque temps il découvrait que son désir d'elle,
ou plutôt de sa beauté, était sans limite, au point
qu'il rêvait à quelques retouches dans le but de la
transformer en une œuvre parfaite, presque, sauf la
trace de la main humaine. Il l'invita donc pour
une dernière séance, jura-t-il, et il se mit en frais
de saisir toute forme de mouvements, toute expression de son visage depuis la colère jusqu'à la tendresse la plus envoûtante. Il parviendrait ainsi à
transformer le modèle qui danse, qui ne sait que
produire du mouvement, en une copie sensuelle
et techniquement exacte de celle qu'il aimait. Elle
n'avait pas à s'inquiéter, elle collaborait à un projet
scientifique inestimable et ne pourrait que se féli-

citer d'avoir déclenché en lui cette idée géniale. Anxieux de se mettre au travail, il la congédia gentiment avant de s'attaquer à la construction patiente du double de Mary.

Il y travaillerait des mois tandis qu'elle se contenterait de lui demander distraitement des nouvelles de ses petits bonshommes, ou encore de faire «Et tes rêves, ils marchent?» Elle n'aurait su mieux dire. À peine arrivé au laboratoire il mettait la doublure de Mary en mouvement et lui faisait accomplir tout ce qu'ordonnait sa fantaisie. Elle dansait, elle prenait des photos, elle parlait par mots brefs dans lesquels on reconnaissait le timbre de sa voix, elle déplaçait des objets. Pour tenter le diable, il avait redressé légèrement l'arc de sa paupière et enfoncé d'un millimètre sa canine, pas suffisamment pour la changer mais assez pour rejoindre avec exactitude l'image qu'il adorait d'elle. Il la nomma Mary V (V pour virtuelle) sans en demander la permission à Mary. Il ne lui dit pas non plus que sa doublure savait se déshabiller en douceur et s'attendrir sur le divan. Bref il usait de Marie V comme d'un instrument de musique, fasciné par la réponse immédiate dès qu'apparaissait à sa conscience la moindre velléité. Il comparait ce temps de réaction à la distance infime qui sépare l'émotion du musicien de la note qui éclate dans la salle. Il jubilait. Même si ce n'était qu'une copie de l'amour, il retomba doublement amoureux.

Aussi longtemps que Mary ignora l'avancement de ses recherches, elle gagna au change, car c'est en elle que se matérialisaient les rêves d'Eddy. Un

jour elle eut cependant la certitude que la passion
d'Eddy ne lui était pas entièrement destinée : il
avait des absences au beau milieu d'une relation,
ou il prononçait son nom en fermant les yeux. Elle
l'interrogea sans succès : il se défendait comme un
diable, allons donc ! mais qu'est-ce qu'elle imaginait ? Il était amoureux d'elle comme au premier
jour, mieux qu'au premier jour, puisque son expérience et sa maîtrise du monde passaient par un
canal unique, elle-même partout et toujours. Comment expliquer toutefois les longues soirées gas-
pillées séparément, lui au bureau, elle à l'appartement ? « Tiens, tu ne sais pas, j'ai eu une
promotion ! » « Bravo ! Et pourquoi en particulier ? »
Il n'allait tout de même pas avouer qu'il avait dû, à
son corps défendant, vendre Mary V à l'entreprise,
qui allait en faire un prototype de la réalité virtuelle humaine ; que les autres employés se sont
mis à hurler de plaisir en visionnant la chose – il
a même eu droit à une fête ; qu'il a commencé à se
sentir malheureux en réalisant soudain qu'il avait
perdu son invention aux mains de l'entreprise, et
allez savoir jusqu'où ils iraient pour dégrader
Mary, jusqu'à la traiter comme une souris de laboratoire peut-être. Il a voulu aussitôt détruire le programme mais, conscient de sa valeur marchande,
son patron venait de le mettre sous clé, déclarant
même que seule la passion amoureuse combinée à
la passion informatique avait pu produire cette
merveille ! En nom de code, on la désignerait sous
le nom de « Mary V ». La cause était entendue.

— Saleté de saleté de merde de firme ! dit Ed.

— Mais tu viens d'avoir une promotion !

Il n'eut pas le choix. Le samedi suivant, croyant qu'ils s'y trouveraient seuls, il conduisit Mary à son laboratoire dans le but de lui présenter son double. Elle aurait peut-être un choc, mais il réussirait à la raisonner en vantant les mérites de l'informatique et de cette révolution dans le domaine de la représentation : l'avenir du monde en serait transformé, puisqu'à la réalité on ajouterait maintenant le « comme si c'était réel. » « Tais-toi, dit-elle, plus tu parles, plus on dirait que tu veux te justifier. Tu te sens coupable à ce point ? »

Quand Ed et Mary poussèrent la porte du laboratoire, la séance était déjà en cours et il y avait là des figures étrangères parmi les employés de l'entreprise. Ils ne faisaient pas exécuter à Mary V des mouvements bien compromettants, ils savouraient tout au plus quelques roulements de hanche particulièrement sensuels. Mary cria « Je n'ai jamais fait ça ! » Puis, après avoir saisi la ressemblance troublante avec sa propre personne, elle ajouta en éclatant en sanglots « Ce n'est pas moi ! » Le technicien immobilisa l'image et le patron lui-même vint près de Mary, glissa familièrement son bras sur son épaule comme s'il la connaissait depuis toujours, et il se mit à l'appeler « ma petite Mary », « qu'est-ce qui ne va pas, ma petite Mary, tu ne trouves pas ça un peu magnifique ? » Elle se dégagea violemment et s'enfuit en claquant la porte, suivie d'Eddy qui murmurait « Ah les cons ! Ah les cons ! »

À partir de ce jour Ed et Mary connurent l'enfer des regards soupçonneux, des explications qui n'en finissent plus et s'enlisent. L'enfer surtout des retrouvailles un peu forcées, quand on fait « comme si » mais que le cœur n'y est pas. Comme s'il n'y avait rien eu entre eux que la passion dévorante et réciproque. Comme si la doublure n'avait jamais existé. Et c'était un peu vrai. Maintenant que la firme s'était emparée de son invention, Eddy avait le sentiment qu'elle ne lui appartenait plus en propre et il se rapprochait tranquillement de Mary, sans retrouver toutefois le puissant courant qui l'avait d'abord soudé à elle.

Leur sentiment amoureux égaré dans le brouillard, et pressés de voir renaître l'ancienne harmonie coûte que coûte, ils tentèrent de se rapprocher plus par volonté que par désir. Ils s'embrassaient pour des riens, mécaniquement, se juraient à tout moment un amour éternel − pour apaiser leur angoisse de s'aimer moins sans doute −, ils avaient l'un pour l'autre de petites tendresses inventives, qui amenaient leurs amis à dire « ils forment un gentil couple ». Un gentil couple ! Dans le lit, dans le silence, ils se ruaient l'un sur l'autre les yeux fermés, férocement attentifs au plaisir pour ne pas se rappeler le temps où les harmoniques du sentiment amoureux décuplaient leurs sensations et mettaient leurs âmes en résonance. Ils se heurtaient comme on se cogne le front à une vitre. Ils retombaient, légèrement étourdis, avec l'envie de recommencer parce qu'ils avaient l'impression que rien n'était survenu, ils n'arrivaient plus à sortir de la prison de leur peau. Dans un geste nerveux, Mary se grattait violemment le poignet avec ses ongles, sa peau était écorchée de traits rouges. « Arrête, ça m'énerve ! Tu vas finir par te déchirer les veines. »

Eddy continua de fréquenter le laboratoire, fidèle au poste mais le cerveau vide : il mettait une application maniaque à résoudre le moindre problème, comme s'il ne connaissait plus son métier et tâchait seulement de passer inaperçu. « Qu'est-ce que ça veut dire, on lâche Mary ? » demanda-t-il, quand ses coéquipiers proposèrent de passer à un autre modèle.

Et le demi-miracle vint du côté qu'il ne soupçonnait pas.

Le voyant effondré, presque lamentable, Mary lui proposa un de ses « cristaux d'enchantement » comme elle les appelait. « Qu'est-ce que c'est ? » demanda-t-il. Elle expliqua qu'une si petite portion de crack ne pourrait lui faire du mal, elle en consommait parfois pour prendre congé du monde, « qui est plutôt moche en effet » dit-il, « j'aimerais que tu m'accompagnes » dit-elle, c'était important, et puis il pourrait toujours décider ensuite, mais quand il aurait vu de quoi a l'air la réalité sous cet angle, « quelle réalité ? », il n'aurait plus besoin de recourir à ses mondes virtuels. Il assistera au dévoilement de toute chose, de n'importe quoi de matériel ou même de spirituel. Tout se met alors à danser, il verrait, le monde revêt soudain l'épaisseur qu'il n'aurait jamais dû perdre, on réagit comme un nouveau-né qui ouvre les yeux pour la première fois mais qui aurait déjà accumulé un siècle d'expériences. Oui les choses se dévoilent dans la pulsion de leur matérialité, elles dansent. C'est pour cela surtout qu'elle-même prend de la drogue : voir le monde danser, vivre à mille milles à l'heure, se sentir à la fois enfouie dans la matière et en même temps libérée de la matière. « Tu ne peux pas savoir, Ed… Le monde ressemble alors à la face de Dieu, comment peut-on nous en interdire l'accès ? »

Elle avait l'air si convaincante. Elle parla aussi de la jubilation intellectuelle que lui procurait la drogue, une jubilation analogue à celle que connaissent les artistes après de longs efforts, quand ils pensent avoir atteint l'harmonie suprême, « et tout cela comme par magie, y as-tu songé, Ed ? Contre cette fête j'échangerais des années de vie ordinaire… » « Quitte à en mourir ? » « Quitte à en mourir. » « Quitte à m'entraîner avec toi ? » « S'il le faut, pour être avec toi. »

À cause de sa formation scientifique, Ed songea aussitôt qu'elle prenait pour la face de Dieu ce qui n'était que distorsions de l'appareil perceptuel. Mais au point où il en était, la révélation de Mary ne servit qu'à le déprimer davantage : elle avait donc triché tout ce temps, il n'y avait peut-être rien de vrai en elle ! Il la regarda soudain dans les yeux et crut pour la première fois interpréter correctement le sens de l'ombre qui gagnait son œil droit : celle-ci lui avait toujours discrètement parlé de l'enfer dont Mary était prisonnière. Mais trop occupé à produire ses contrefaçons du réel, il n'avait rien vu ! Il pensa : Pour la sortir de là il faut que je plonge avec elle. Il saisit le bonbon entre le pouce et l'index, l'examina attentivement, « c'est du vrai » dit Mary, et il le croqua. Mary fit de même en doublant la dose, puis elle le prit par la main et l'entraîna vers la minuscule chambre noire, au fond de l'appartement, où elle achevait de développer une série de photos en vue d'une exposition.

Il se pencha sur son épaule et vit New York émerger de l'eau brouillée, « Trop sombres, tes photos, on ne voit rien ! » « Regarde mieux ! » dit-elle. Et la ville lui pénétra dans les yeux, tour à tour les lignes droites comme des échafaudages infinis et les poches d'ombre, et cette inquiétante traînée de lumière rouge comme une déchirure. Il fut pris de vertige et dut s'appuyer au baquet d'acide pour ne pas tomber. « Génial ! » Il se tourna vers le visage de Mary qui s'éclairait sous le compliment. Sa beauté lui revint en mémoire comme une porte entrouverte sur l'éternité. Il eut le sentiment de toucher de nouveau à ce qui était immuable et pérenne en lui, à l'harmonie des formes qui tranchait sur l'habituel remuement de matières de son existence. Ils furent insensiblement transportés jusqu'au lit où la tempête des sens se déchaîna, où ils eurent la certitude de pouvoir suivre à la trace l'onde des émotions qui parcourait le corps de l'autre comme un écho de la sienne propre et qui venait mourir longtemps plus tard en éclatant à la surface de la conscience. À l'extrême du plaisir, à l'arête de la douleur, son corps lui était devenu presque étranger. Quelque chose s'était perdu cependant : il ne retrouvait pas la hauteur exaltante de leurs anciens échanges amoureux.

Puis ils se sont assis à la petite table, face à face, Eddy la regarda et ils parlèrent, mais au lieu de la voix d'une amoureuse il crut entendre dans la bouche de Mary la voix d'une garce en train de le jouer au poker contre la possession de l'absolu. Elle souhaitait franchir le cercle définitivement, que le monde s'immobilise, que l'instant refuse de céder sa place à l'instant qui suit, que la chaîne se bloque! Et il constata qu'il n'était sans doute plus que l'instrument de sa quête, pis encore, un moyen parmi d'autres qui la conduirait à son objectif.

Confiante qu'il la suivrait jusqu'au bout, Mary continuait bien à prendre des photographies à gauche, à droite, tirant sur tout ce qui bouge, mais elle le faisait sans voir que sa main tremblait. Elle en fut quitte pour une impression légèrement bougée qu'elle réussit à transformer en style personnel. Et quand elle retrouvait Eddy, le soir, ils plongeaient tous deux dans la nuit de leur corps avec un étonnement et un plaisir qui confinaient au dégoût. Une nuit qu'ils avaient abusé, Mary murmura « Je crois que suis en train de mourir », ce qui pourrait passer pour l'expression d'un amour extrême alors qu'elle ne faisait que décrire avec le mot juste la sensation physique qui lui affolait le cœur.

Il ne fallut pas deux mois, ces deux mois d'été suffocants, pour accomplir leur destin. Eddy se mit à hanter la place du Rockefeller Center, glissant le long de la Promenade vers la sculpture de Prométhée qui l'attirait, de l'autre côté du bassin. Il y relisait pour la vingtième fois les mots d'Eschyle gravés sur le mur, à la hauteur du flambeau tenu par le dieu : « Prometheus teacher in every art brought the fire that hath proved to mortals a means to mighty ends. » Il trouva d'abord la sentence plutôt pompeuse, y répondant par un sourire de mépris. Puis au fil des jours il fut attiré malgré lui et possédé par quatre mots surtout qu'il recombinait diversement dans sa tête, « art » « fire » « mortals » et « ends », tentant d'en saisir le sens ou d'échapper au sens qui le troublait. Il connaissait depuis longtemps cette inscription, mais il avait cru qu'il s'agissait de mots venus d'un autre âge, égarés dans ce siècle et ridiculement plaqués au pied d'un building et d'une fortune pour leur donner une légitimité : monsieur Rockefeller usurpait à son profit, comme il avait fait de tout le reste, le sens de la destinée humaine. Qu'il brûle en Enfer !

Au bureau, Eddy avait perdu l'art d'inventer dans l'embrasement de l'esprit et faisait maintenant figure de chercheur dépassé. On était en train de l'oublier dans un coin, on le saluait d'un signe de tête distant pour ne pas voir les yeux de cet homme qui n'avait échappé qu'à moitié à l'incendie qui le consumait. Un des employés fit une dernière blague en demandant si c'était Mary V qui lui avait à ce point dynamité l'existence. Car il n'avait pas su gagner son pari : au lieu de sauver Mary, il s'était abîmé à sa suite.

Le matin du premier septembre, comme Mary venait de s'endormir, Ed écarta le rideau et vit l'aube se répandre en traînées rouge sombre et cracher sa poussière de forge sur la ville. C'était le signal qu'il attendait. Il se retourna pour contempler longuement le visage de Mary, puis il se précipita sur la place du Rockefeller Center où quelques rares personnes rôdaient encore le long de la Promenade, « des rescapés de la nuit » se dit-il. Il se rendit au pied de l'énorme sculpture dorée, se lança au fond de la gorge une poignée de crack, réussit à s'agripper tant bien que mal à la cuisse du dieu envolé, grimpa sur l'épaule. Quand il eut atteint la main droite de Prométhée il se tint debout sur la torche de métal froid, et il flamba. Il eut la sensation d'habiter un corps glorieux et il sut comment le sens venait aux choses. Il n'avait pas peur, il se sentait plutôt comme un acteur qui sort de scène : il avait la certitude qu'une fois parvenu dans les coulisses de la mort il ressentirait encore dans sa chair la vibration des applaudissements. « Mais c'est un Paradis artificiel ! » s'exclamait Mary dans son rêve, pour se moquer de lui et de ses entreprises. « Tu dis artificiel ? Quelle est la différence ? Tous les Paradis sont des artifices », « ou des mythes, mais tu en crèves, Eddy ! » Eddy ne connaissait pas le vertige. Il s'effondra pourtant, la tête contre le marbre qui porte le monument.

Quand Mary le sut, elle se rendit sur place, tenta de déchiffrer le rêve de son amant dans l'inscription d'abord, puis dans cette sculpture plutôt baroque de Prométhée. Cet amas doré lui parut clinquant, égaré dans un lieu qui ne lui conférait aucun sens. Elle en conclut que l'endroit était ridicule, qu'on ne pouvait pas logiquement s'y donner la mort. Elle désira quand même mourir en ce lieu qui n'avait pas de sens, un lieu neutre comme une porte, afin qu'Eddy ne puisse pas la semer en route. Le soir même elle s'installa confortablement dans l'anneau d'or, au pied du dieu, et elle s'enflamma à son tour.

Promenade

« Je vous avais prévenu ! » s'écrie mon douanier… qui jubile. Il avait donc eu toutes les bonnes raisons de me fouiller à la frontière puisqu'il me soupçonnait de convoyer des matières interdites. Et c'est le bon sens même qui lui avait dicté sa conduite, comme on interdit tout naturellement le passage des convoyeurs d'essence dans les tunnels. « Sinon, voyez où ça mène ! » Là là holà ! Qu'est-ce qu'il ne faut pas entendre ! Je ne serais pas surpris que les douaniers naissent du croisement d'un flic et d'un juge, à voir à quel point ils sont dépourvus du sens de l'analyse. Pour ma part je comprends que Mary prend de la drogue parce qu'elle n'en a pas besoin – ou plus justement parce qu'elle n'a pas d'autres besoins, puisqu'elle possède tout le reste. Et cela réfute un peu l'argument habituel des esprits moralisateurs. « La pauvre enfant égarée ! » clame sa mère, qui ne saisit pas que c'est dans cet égarement que Mary trouve son profit, l'ordinaire de la vie lui étant apparu très tôt comme une redite d'un ennui mortel. Mary se drogue pour passer outre, pour donner plus d'intensité à sa beauté, plus de mou à son bien-être, elle se défonce pour traverser la frontière. Ses cristaux d'enchantement lui procurent un supplément d'être, et c'est depuis l'autre côté de la frontière qu'elle veut jouir du monde. Peut-être le monde réel s'use-t-il de plus en plus vite et n'a-t-il d'intérêt que s'il est transformé en artifice, ou vu à travers des lunettes artificielles ? En quoi Mary rejoint Ed.

Eddy était un jeune homme astucieux. Occupé à poursuivre les études qui feraient de lui un ingénieur à vingt-quatre ans, il avait vécu en marge de l'émotion, protégé de tout y compris de lui-même par des parents attentionnés. « Voici mon fils, en qui j'ai mis toute ma complaisance » aurait pu dire son père, juge à la cour municipale de Brooklyn. Lorsque le fils rencontre Mary, son univers chancelle. Il comprend soudain qu'il existe des passions plus fortes que sa passion du langage informatique et qu'il devra peut-être choisir. Il se sent même floué d'avoir vécu à côté de tout, à côté des choses qu'il prenait pour acquises, à côté de la passion dont on lui avait caché la puissance, sans doute parce qu'on la savait déstabilisatrice. Il rencontre Mary et se réoriente, assujettissant son travail professionnel à l'image de Mary. Il fait un premier pas sur le sentier qui le mènera aux Enfers. C'est qu'il ne voit autour de lui que des bonheurs froids, souvent mimés, une fausseté radicale dans l'acte de vivre – faux, son père même, qui joue les juges au dehors mais qui s'effondre devant son fils à la maison –, et il n'a aucun désir de suivre cette voie, d'autant moins que sa réalité virtuelle a le mérite d'être indéniable. Il constate que les gestes de la vie quotidienne sont devenus des rites abstraits, comme l'idée du bonheur, comme la fragilité de la terre pour laquelle on s'éprend d'une passion soudaine analogue à celle qu'on ressent devant une portée de chiots, mais qu'on abandonne le lendemain au bénéfice d'une cause plus attendrissante encore. Ce beau grand pays, pense Eddy, n'en a que pour les apparences et le spectacle, soit! je me saisirai des apparences et j'irai jusqu'au spectacle intégral!

Au travail sa tâche consistait justement à réinventer le réel dans le but de l'améliorer, mais l'améliorait-il? À la maison, après un premier échec, il a cru qu'il pourrait faire comme si, comme si lui et Mary vivaient la même passion ensorcelante, mais ils ne faisaient qu'en mimer les manifestations extérieures. C'était son deuxième pas hésitant sur le même sentier. Quand enfin il a expérimenté les cristaux d'enchantement, ces « multiplicateurs de réalité », et qu'il a souhaité pour lui-même tout le rêve du réel tout de suite, comme Marie Agnelle, comme Mary Smith qui y a finalement renoncé, comme Sequaluk, il a voulu court-circuiter le temps et l'espace de son propre corps, il a cru briser le cercle où nous sommes enfermés. Ce fut son troisième pas décisif sur le sentier des Enfers, et il avait acquis le droit d'en mourir sans doute.

Ne te retourne pas, Eddy, ne regarde pas le visage de Mary… Je sais que cette mise en garde ne sera d'aucun secours, puisque c'est uniquement parce qu'il l'a regardée, dans la fascination, qu'il est tombé amoureux d'elle, et comment ensuite pourrait-il ne pas la regarder puisqu'il l'aime et que ce visage seul donne un sens à sa marche? Il la sauvera malgré elle, ou par elle, à cause d'elle, il périra!

En s'enflammant Eddy pense «Je peux mourir, j'ai franchi le cercle» et il constate avec effroi que ce franchissement des limites humaines n'est plus réservé aux seuls Prométhées, aux grands blasphémateurs, aux saints ou aux artistes, mais qu'il est maintenant à la portée de tous, sous les espèces de la drogue, à la seule condition d'accepter de jouer sa vie contre ce franchissement. C'est bien ce que lui disait Mary. Et qu'importe les jugements, la réprobation de ceux qui veulent tant sauver leur ordre social, leur santé économique! Sur le plan personnel, tout cela est balayé par le rêve de conquérir ce qui se cache sous les masques du réel, de tomber carrément dans l'improbable et d'y vivre. Au moment de flamber, Eddy se heurte pourtant à un dernier doute. N'y a-t-il pas quelque chose d'indécent à vouloir tenir d'une main le réel, de l'autre l'illusion, dans le but d'en faire une seule et même chose? À vouloir jouir des privilèges de l'éternité quand on est encore enfoncé jusqu'aux yeux dans la matière, dispersé le long du temps? Il concède: C'est un écartèlement qui ne pardonne pas, puisque rien ne peut plus arrêter les chevaux du rêve!

Du côté des chevaux du réel, mon douanier tient souvent les rênes. Il continue d'intercepter à la frontière la malle interdite, dans laquelle il entasse pêle-mêle tous les agents du rêve, l'amour avec le cannabis, l'art avec l'opium, la science avec l'héroïne ; qui bannit l'enthousiasme en voulant punir la déviance ; qui arase l'esprit en cherchant à rendre plus lisse la face du bonheur.

Mais imaginons tout autrement le destin d'Eddy. Supposons qu'il ne regarde pas vraiment le visage de Mary, il voit surtout son profil de carrière. Il ne crie pas « Rendez-moi ma vie » mais plutôt « Rentabilisez-moi ! » Ils possèdent donc, Ed et Mary, une maison à New York, plus une maison de vacances, car il faut pouvoir s'échapper de temps à autre afin de soigner son équilibre mental. Et le dimanche ils braillent côte à côte des cantiques pour rendre grâce au Seigneur du don de la vie. De fait ils rendent grâce pour le bien-être dans lequel ils s'entortillent en fermant les yeux.

Parce qu'il est de la race des bâtisseurs — son âme n'a pas changé, il transpose dans les affaires son idéal spirituel —, Eddy n'en reste pas là. Sa femme peut bien s'amuser à photographier les ombres de New York, il n'a rien contre l'art… mais il a d'autres projets en tête. Une entreprise qui n'avance pas recule. Il propose donc un plan de campagne qui va faire main basse sur le Mexique, où la main-d'œuvre est aux abois, et laisser la concurrence pantoise, à des années-lumière de la Virtual Reality Engineering, la vraie réalité qui compte. Et ça remarche parce qu'il a mis toute sa passion dévorante au service de la conquête des marchés. C'est la face diurne de Prométhée. Eddy roule sur l'or et Mary sourit au petit John qu'ils ont fait ensemble, mais son sourire a quelque chose d'appris comme si elle avait fréquenté les jardins d'Hollywood. Ce n'est pas Eddy qui s'en plaindrait puisqu'il doit souvent demander à sa femme un brin de figuration, pour arracher un contrat par exemple, et son beau sourire ne saurait nuire de toute manière. « Je sais je sais. Je serai prête dans un moment. » « D'accord, c'est un peu chiant, mais il faut ce qu'il faut. » Il ressemble à un ambassadeur, il connaît l'importance de la forme du contact, mais il est aussi ingénieur, ce qui le pousse à calculer à la décimale près l'effet d'enchérissement que peut avoir le sourire de sa femme sur le montant global d'une transaction. Surtout quand il s'agit de ces péquenauds du Sud.

Il fête sa promotion qui coïncide avec le contrat du siècle. Sa cravate l'étrangle, et pendant qu'il écoute d'une oreille ennuyée les flatteries de ses employés, qu'il a envie de se moquer de l'exaltation un peu ridicule de son nouvel associé – il se comporte comme s'ils venaient d'inventer la poudre ! – Eddy cherche désespérément un endroit pour s'éclater, un moyen pour livrer passage à cette joie tout de même, cette joie d'avoir réussi, qui lui gonfle la poitrine. Il rêvasse tout en les écoutant et Mary ne fait pas partie de sa rêverie. Ce n'est certes pas le lieu ni le moment de s'éclater : il joue dignement son rôle de jeune cadre bourré de talent, créatif à souhait, mais responsable tout de même. « Vous êtes chargé de tout le Mexique ? » demande Pablo, qui considère la tâche

légèrement écrasante pour un si jeune homme,
malgré son équipe de vieux traficoteurs de rela-
tions publiques. « Oui, et pourquoi pas ? » Parce qu'il
y a tous les aéroports qui voudront mettre son
invention à l'essai, les écoles de pilotage, les manu-
factures, les entreprises d'ingénierie… « Et pourquoi pas les écoles de danse ? » Eddy est ailleurs,
déjà projeté dans la nuit qu'il voudrait passer avec
trois ou quatre filles, mais sans les payer, si on paie
ça ne vaut pas, des filles qu'il s'emploiera à séduire
une à une ou en vrac, un vieux fantasme ! Il sait
d'ailleurs par qui commencer, il tient le filon en
quelque sorte, elle se tient debout à deux pas de
lui, ondulant dans sa robe blanche. La conquête
toujours, dans un domaine qui rompt carrément
avec son métier et ses habitudes. Pour marquer le
coup. Mais aussi parce que ce fantasme participe
du rêve, c'est-à-dire qu'il est un des rares événements capables de secouer la réalité, capables de le
tirer, lui, de l'ornière où il s'enlise, à trente ans déjà,
et pour toujours. Il sait pourtant que depuis la
découverte du sida, l'idée même du bordel s'est
effondrée et avec elle la probabilité matérielle
d'organiser quelque chose qui ressemble à une
orgie. Il le sait, c'est pourquoi il jouera prudem-
ment, en misant sur les C.V. de ses partenaires
d'un soir. Et puis, au bout du compte, il a peur que
la menace de cette maladie ne le quitte pas de la
nuit et lui coupe ses moyens, alors il retraite vers
plus de prudence encore, pour se rabattre finalement sur le bon vieux rêve, dans la peau d'un
satyre, avec une jeune femme, rien qu'une s'il le

faut, mais elle ne s'appellera pas Mary, il a besoin
d'un minimum de dépaysement! et il fera comme
si, comme si elles étaient trois, dix, vingt femmes
à soupirer qu'on les apaise. « Vive le rêve ! »
s'exclame-t-il à contretemps, et Pablo croit qu'Eddy
vient de résumer à la fois l'éclair de génie et le
long processus qui l'ont mené à son invention de
la « réalité virtuelle circonstanciée », fragment de
réalité se détachant du rêve d'un homme et se
mettant à vivre en face de lui, à lui tendre la main.
« Ah ça, oui ! Vive le rêve des machines ! » fait Pablo
pour finir en beauté l'escalade des compliments à
l'endroit de l'inventeur.

Revenons à Mary. Je crois que j'ai exagéré un
brin pour boucler mon histoire et lui donner le
sens tragique sans lequel il n'y a pas d'histoire. Car
on ne s'embarrasse pas des petits drames intimes
qui font l'ordinaire de nos vies, sauf quand ils sont
portés à l'attention des masses et deviennent
exemplaires du destin de tous. Mary n'habite pas
avec Eddy puisque celui-ci est mort ; pas plus
qu'elle n'est morte puisque je l'ai rencontrée. Elle
hante les rues de New York, fait partie de la ville,
revient de loin. Elle passe lentement devant les
bijouteries de la 47e Rue, éclate de rire, baisse la
tête comme une enfant qui a honte, repasse, recommence son manège, « ce n'est pas la richesse
qui manque ! » Oui, un jour elle fera de la photo
artistique, des clichés si saisissants qu'ils vous don-
neront l'impression de découvrir la lumière pour
la première fois. Et elle deviendra célèbre. Aujour-
d'hui elle est simplement désaccordée, elle cherche

une voie pour sortir des Enfers où Eddy l'a laissée, mais elle cherche avec peu de détermination parce qu'elle ignore où elle se trouve exactement. Elle se dope avec sagesse, dit-elle, et elle traîne son nécessaire à photographies, une trousse de cuir sang-de-bœuf où remuent pêle-mêle les lentilles, l'appareil photo, un trépied extensible, suffisamment de pellicule, ses clés, des sachets…

Gentille Mary, au point que je l'ai prise pour une prostituée parce qu'elle offrait de m'accompagner, j'avais l'air perdu sans doute, je n'arrivais pas à trouver cette adresse, « Mais ce n'est pas sur la 47e Rue ! » fit-elle, « Alors pourquoi donnent-ils cette adresse ? » « Parce qu'ils ont déménagé, voilà tout ! » « Ils ont déménagé avec l'adresse ? C'est original… » Elle connaissait par cœur la boutique où je voulais me procurer un appareil photo, que je passerais ensuite illégalement aux douanes. Nous marchons ensemble, elle me parle et se raconte comme si nous nous connaissions depuis toujours. Mais je ne suis pas Eddy. « Tiens, vous voyez, c'est là ! » C'était là, au coin de la 6e Avenue et de la 45e Rue. « Merci Mary ! » « Si je peux faire autre chose… » « Non non, ça va. » Je suis parti de mon côté, j'ai eu toutefois l'impression étrange de m'arracher à elle, car il me semblait que nous n'avions pas fini de parler, elle avait tant de choses à me dire. En me retournant j'ai vu qu'elle était toujours là, oscillant comme un roseau au vent de la rue, un roseau attendant une main qui le cueille. Elle avait les yeux tendres, sauf l'ombre sous la paupière droite, et quand elle marchait on

aurait dit qu'il y avait du mou dans ses articulations : cela lui donnait l'air de danser. Peut-être. Elle
était très belle mais comme déjà morte, je veux
dire qu'elle ressemblait à une qui aurait emprunté
le corps d'une autre pour la fin de semaine mais
qui ne serait pas parvenue à l'habiter vraiment.
J'aurais voulu lui demander : Mary, dis-moi un
peu, c'est quoi l'Enfer ? Mary dis-moi, il est où le
Paradis promis dans les Amériques, bordel de
merde ? Je me suis retourné de nouveau, elle avait
disparu, happée par la rumeur de la ville. Je
reviendrai, je te retrouverai oscillant à n'importe
quel carrefour, prête à me tendre la main, ou pré-
parée de longue date à me piéger comme la bête
docile qui fait marcher ta grande machine urbaine.
Tout cela je l'ai lu dans tes yeux, Mary ! Ils avaient
la couleur du ciel au-dessus des grandes forges,
avec des reflets de poutres d'acier. Tu dis que
même la photographie est un artifice auquel on
vient parce que la vie ordinaire n'est supportable
ni pour les attentes du corps, ni pour les ambitions
de l'esprit ? Tiens donc ! Et tu ajoutes qu'il fait trop
froid à New York, sauf l'été, que tu feras un balu-
chon de tout ton fourbi et que tu gagneras le Sud,
parce que c'est là qu'est la vraie vie. Je n'hésite pas
un seul instant à te croire.

Tableau V

L'eau

La terre est un bayou où l'eau rêve.

Assise derrière la vitre, Mary Ann plonge son regard au milieu de la rue, où le soleil du début de l'après-midi compose des figures tremblantes d'ombre et de lumière. Un théâtre silencieux qui l'interpelle, tandis qu'elle se trouve prisonnière de son aquarium.

— Fait chaud! soupire-t-elle en s'essuyant le front sans gâcher son maquillage.

France ne dit rien, les autres acquiescent en dodelinant de la tête. Il est encore trop tôt pour leur demander un plus grand effort.

— Je sens qu'on va s'amuser! lance ironiquement Mary Ann.

France ouvre la bouche mais ne dit rien. Kathy ajoute :

— Rien qui presse…

Mary Ann a envie de lancer « M'énervent », mais elle ne dit rien. Elle tient comme elle le peut

les commandes de son bar, The Abbey, coincé
entre sa cour arrière et la rue Decatur, un petit peu
à l'est du French Market. Le jour tout est mort mais
vers la fin de l'après-midi la rue s'anime, et le soir
c'est terriblement mouvementé, ça bouillonne
dans les verres. Enfin parfois.

— Tu crois que Peter viendra ? insiste mollement
Kathy.

— Oui je crois ! dit Mary Ann. Tu en as besoin
tant que ça ?

— Fais suer ! dit Kathy.

Mary Ann grignote de petites bouchées de
n'importe quoi, fromage, viandes grillées, saucisson
sec, sucreries, elle ne se sépare pas davantage de
son bol à grignotines qu'un miséreux de son
écuelle. La dernière réplique de Kathy lui fait
prendre les bouchées doubles.

Elle ne pardonne pas à sa mère, Carolina,
d'être née avant elle. Elle lui reproche surtout de
n'avoir rien laissé à sa fille après s'être emparée
de toute la vie d'une manière insolente, sans
même prendre la peine de remuer le petit doigt :
la figure d'une déesse grecque, du charme à
revendre, un corps sculptural à cette exception
près qu'elle a la fesse négresse, comme une qualité supplémentaire et non méritée. Carolina
Jones en effet n'avait hérité qu'un huitième de
sang noir, mais ce huitième s'était logé entièrement dans la fesse, une fesse ferme, dont la
masse générale avait tendance à pointer vers le
haut. Et cela lui donnait un incomparable avantage sur ses rivales.

Carolina faisait saliver la moitié des hommes du French Quarter rien qu'à paraître et à marcher un peu dans la rue Bourbon ou la rue Royal, quand elle ralentissait le pas pour contempler les bijoux artistement exposés derrière les vitrines, ou lorsqu'elle s'aventurait sur le trottoir ouest de la rue Canal, à l'ombre des orgueilleux gratte-ciel, pour se mêler aux touristes excités de découvrir New Orleans. Elle s'amusait d'autant plus à circuler parmi eux qu'ils la prenaient souvent pour l'une des leurs, formant remous autour d'elle, l'invitant à prendre un verre ou à partager un repas. Et elle engageait la conversation avec dignité et détachement, sûre qu'ils ne sauraient jamais la reconnaître quand elle monterait sur la scène de la plus célèbre boîte de la ville et se déshabillerait devant eux en les saluant de sa fesse haute.

Qu'elle séduise la ville entière, qu'elle serve de guide aux touristes haletants si ça lui chante ! Tapie derrière le comptoir de son bar obscur, Mary Ann songe que la vie lance de ces coups de dés aux conséquences infinies, mais qu'on n'a hélas aucun droit de reprise. Pourquoi tout à sa mère et rien pour elle ? Oh ! Carolina lui a fait cadeau du bar Abbey, mais en lui disant « Si tu ne sais rien faire d'autre, occupe-toi du bar ! » Et Mary Ann s'occupe du bar, parce qu'elle ne sait rien faire d'autre ni de son esprit ni de ses mains. Étroit, son bar loge à peine un comptoir, trois tables et une banquette qui ressemble à un banc d'église. Mary y avait d'abord connu la sensation d'un pouvoir énorme, elle nous mettrait vite les lieux à sa main, elle les rendrait conformes à son image, entendons qu'elle en ferait quelque chose qui conjugue la simplicité et le bon goût, l'accueil chaleureux et la nécessité commerciale.

Dès le premier jour, à l'ouverture même, elle comprit qu'elle ne contrôlait pas grand-chose et que sa mère avait acheté la clientèle en même temps que le bar, pour la lui refiler. En fait, à la vue de ces sept clients qui buvaient sec et s'échangeaient des propos complices, on aurait dit codés, Mary Ann se sentit complètement étrangère et impuissante. Elle était en quelque sorte un élément aussi accessoire que le vieux banc d'acajou dont jamais personne ne se sert, sauf en cas d'extrême nécessité – lorsque même la position assise est devenue intenable. Elle avait décidé depuis toujours, en réaction contre la vie publique de sa mère, de ne jamais mêler sa vie privée à son travail, et c'est les lèvres pincées qu'elle se fit lentement soutirer des confidences puis dévorer par la joyeuse bande de bohèmes, toujours les mêmes, qui formaient son unique clientèle.

Il faut dire que son bar se trouve à l'est, qu'il est en conséquence un peu excentrique par rapport à la folle vie du quartier. Mary Ann qui adore tout ce qui rampe, glisse, grouille, tout ce qui bayoute contre les envolées de sa mère, a décoré son bar pour célébrer l'Halloween : au plafond sont tendus de longs fils de coton moutonneux imitant mal la toile de l'araignée, laquelle pend en son milieu, énorme araignée de plastique noir, mal accrochée à son fil, qui menace de vous glisser dans le cou, attendant seulement que vous cessiez de gesticuler pour passer à l'attaque.

Mary Ann se contente de transpirer. Il fait décidément trop chaud dans ce pays, même à l'Halloween. Elle rêve du bayou, où la frontière de l'eau n'est pas nette : les arbres jaillissent hors de l'eau comme des fantômes chargés de mousse, puis on entrevoit la terre qui disparaît de nouveau sous l'eau, l'eau et puis la terre qui joue toujours, sur des kilomètres, au ras de l'eau, tantôt gagnant, tantôt perdant la lutte et s'effondrant. Aux yeux de Mary Ann, le bayou représente une sorte de magma originel où bouillonne la vie, dans la fraîcheur tout de même, ce pourrissement parfumé qui engendre les plantes, les oiseaux, les poissons, jusqu'au corps submergé de l'alligator dont seuls les yeux surnagent, comme des billes de verre. Et puis le soleil heurte l'eau qui miroite en un incendie blanc. Mary Ann s'y promène dans le hors-bord de sa mère, seule dans la mesure du possible, pour se laisser glisser enfin le long de ses fantaisies, pour faire contact. Il fait trop chaud dans ce bar. La musique coule soudain dans les rues et, autour du French Market, des Noirs, le dos arrondi pour mieux se concentrer peut-être, soufflent dans leur trombone, leur clarinette, et prolongent des airs de jazz mille fois entendus mais qu'ils font varier selon l'intensité du soleil et la piqûre du vent. On les entend d'ici, de même que les petits Noirs qui empruntent aux Cajuns leur danse à claquettes et font sonner leur souliers ferrés sur les trottoirs pour quelques sous – Allez giguer ailleurs, vous détonnez dans ma musique! Oh! la rue, quoi la rue? la rue, oh! le jazz, quoi le jazz? l'envie de pleurer, l'envie de chanter, saisir une larme dans sa caverne, la suivre le long de son canal secret, la bercer tant et si bien qu'elle roule, roule mais n'éclate jamais, sauf sous la forme d'un son qui s'étire et s'enroule. Le jazz des vieux Noirs toujours debout dans New Orleans comme des lampadaires archaïques.

Mary avait revêtu – c'était l'idée de sa mère –, une robe de sorcière traînant jusqu'au sol, mais elle avait cru bon d'en corriger l'inquiétante austérité par l'ajout d'étoiles dans ses cheveux. Et les clients ont fait tour à tour «Ho ho!» en apercevant l'araignée de plastique qui se balançait au gré des courants d'air, mais aucun n'a osé le moindre compliment à l'endroit de Mary qui s'intègre si bien au décor en le complétant. Justement, elle fait partie du décor, c'est entendu. Et que ça saute! Mary Ann transpire et songe, sans doute à tort, qu'aux côtés de sa mère elle a l'air d'une tortue marine, parce qu'elle aime trop s'empiffrer de Po Boys, de Gumbo et de tous ces mélanges d'abondance qui finissent en vrac dans son assiette et lui engorgent le foie. Elle ne s'est d'ailleurs jamais interrogée sur l'origine du mot Po Boys, qui vient vraisemblablement de Poor Boys, et qui présente une sorte de sandwich fait de pain massif et d'une variété de viandes – on dirait des reliefs de table –, mais dont la quantité est telle que chacune d'entre elles pourrait constituer en soi un repas complet. C'est comme de demander au garçon de vous apporter un quart de poulet, assaisonné d'un steak, accompagné d'une tranche de jambon, le tout bien mijoté dans la sauce du bœuf en train de rôtir et rapaillé entre les deux moitiés d'un pain Cousin. Mary Ann en faisait habituellement deux bouchées, de ses Po Boys.

Ils sont maintenant tous là, les clients. Il y a France, l'oiseau blessé, qui prend son Bourbon en silence. On dirait que tout en elle est sur le point de se mettre à trembler, sa peau fragile, son dos, ses nerfs, et son regard au bord de craquer. Personne n'ose intervenir de peur de déclencher une secousse qu'on ne saurait plus stopper. Elle ne veut pas que le monde lui parle, ni que le monde entre en elle. Elle contrôle et filtre. Mary Ann met de la musique et dit « Si on a inventé le jazz ici, on peut bien en écouter ! » C'est une vieille boutade née en même temps que son bar, que Mary ressert à l'occasion, quand elle ne sait plus quoi dire. France entend des sons, agréables et connus, ce qui produit sur son visage une ombre de sourire, qu'elle destine aussitôt à son verre. Elle vient à The Abbey non pas pour fraterniser mais pour sentir qu'il y a des humains à côté d'elle. Elle ne leur demande que leur chaleur animale et refuse tout le reste. Mary s'étonne soudain :

— Vous ne vous êtes pas déguisés ?

Contrairement à ce qu'elle attendait, ils n'ont revêtu aucun déguisement particulier, mais les sept sont là dans leur figuration habituelle. C'est à l'intérieur qu'ils sont déguisés, tout comme Mary Ann qui se rêve en jeune fille svelte, tombant les hommes et battant le rythme qui soulève tout

New Orleans à la chute du jour. Et ce soir de l'Halloween en particulier, elle a envie de dire « Maman, raconte-moi une histoire, fais-moi rêver ! », cette petite phrase que tous les adultes voudraient prononcer encore, même s'ils ne se trouvent plus jamais sur la scène propice ni en face de la seule personne qualifiée.

— Maman…, commence pourtant Mary Ann.

— Quoi ? demande Kathy.

— Excuse-moi, je rêvais.

Car il y a Kathy qui fait partie de la clientèle assidue, Kathy qui aimait ses maris mais ne peut s'empêcher de se voir en héroïne. Ses hommes ne sont jamais assez puissants, assez riches, assez adorateurs de ses vertus. Vue de loin, on pourrait la confondre avec les féministes radicales parce qu'elle a l'air de mépriser les hommes, ces êtres diminués qui frappent inlassablement à sa porte, mais c'est une erreur. Quand on y regarde de plus près, Kathy adore les mâles, au point que seul Dieu le Père posséderait de quoi la contenter. Tous les autres sont des minables qui se prennent pour Dieu le Père et qu'elle ne tarde pas à démasquer. Il en va ainsi d'Eddy, ce drôle de gars assis à sa gauche, devant le bar, et qui passe son temps à ajuster ses lunettes et à sourire, comme s'il avait depuis longtemps résolu la quadrature du cercle et fait de sa vie un jardin d'enchantement. Mais ce n'est qu'un *joker*, un savant amusé, désabusé au fond de lui-même ! Il sort de la vie par la porte étroite du savoir alors qu'il croit la posséder. C'est un trou du cul, pense et dit Kathy. De tous ses maris, elle ne regrette que le dernier, «parce qu'il est mort» dit-elle. Parce qu'il est mort, celui-là, attrapé la jambe en l'air au rebond de son premier élan amoureux, personne n'a eu le temps de mesurer ses véritables qualités divines. À quatre heures trente ce soir d'Halloween, de chagrin sans doute, Kathy éclate en sanglots et pose sa tête sur l'épaule d'Eddy, qui retire ses lunettes pour les nettoyer longuement.

Mary Ann sait que ses clients représentent les figures exactes de ses rêves avortés : ils sont ses défaites personnelles. Elle regarde la tête de Kathy abandonnée sur l'épaule de l'autre, de n'importe qui, elle voit le cou offert comme pour être tranché, et cette vision lui fait mal. Alors elle demande à Kathy de se tenir, parce qu'elle ressemble à une chatte en chaleur et que…

— Tu donnerais cher pour l'avoir, ma ch… ! Et sa tête retombe sur l'épaule d'Eddy. Elle lui enserre la taille de ses bras et le tient prisonnier, lui interdisant tout geste étranger à son rôle de pilier. Eddy sourit, flatté et ennuyé.

— Connaissez-vous l'histoire du vieillard qui refusait d'être placé à l'hospice ? fait-il, en accentuant son sourire triomphateur.

— Oui ! crient-ils tous en chœur, en se détournant. Sauf France, qui a répondu en prenant une petite gorgée de bourbon, et lui, l'étranger entré là par erreur, qui dresse l'oreille et demande «Quel rapport ?»

— Quel rapport ? Il y a un rapport avec Peter peut-être ? Il ne voudra jamais aller à l'hospice parce qu'il préfère les femmes jeunes, hein, Peter ?

Il y a en effet Peter, celui qui porte la barbe parce qu'il a compris que cet accessoire lui était essentiel dans son rôle de passeur, à moins que ce ne soit un souvenir du Viêt-nam. Il a l'air d'un poète mais il est tout bonnement un homme d'affaires. Bien à l'abri sous la douceur de sa figure se cache un redoutable calculateur qui n'hésiterait pas à vous conduire au bûcher, pourvu qu'il touche une légère commission sur le prix de votre condamnation. La cocaïne qu'ingurgite à l'instant Kathy pour se consoler de son dernier mari, en la faisant délicatement glisser sur le milieu de sa langue, c'est la femme de Peter qui vient de la lui mettre dans la poche, après une absence remarquée de celui-ci. Il a ensuite réintégré le bar en compagnie de son fils de trois ans, adorable mais qui ne supporte pas qu'on le touche ni même qu'on le regarde, «il est très sensible» fait Peter. Et Kathy verse la poudre sur sa langue, comme on croque une hostie les yeux au ciel. Elle n'a pas à demander pardon de vouloir se sentir heureuse, puisque c'est toujours ce qu'on lui a prêché. «Et vive l'Amérique!» crie-t-elle. Blonde comme un champ de blé que la lune aurait saupoudré d'or, elle clame son appartenance à la grande famille amérindienne. Il est vrai que le sourcil est noir et que les yeux dégagent une belle fureur. Aux sons de «I Ain't Nobody», Eddy lui demande si elle en a encore pour longtemps à jouer les veuves éplorées sur son épaule, parce qu'après quatre bières, il est dans l'obligation de cesser de lui servir d'appui et de se diriger d'urgence vers les toilettes, hein,

« qu'est-ce que t'en penses ? » « O.K., O.K., je t'ai jamais empêché de vivre ! » Eddy s'éloigne et Kathy reprend la conversation où elle l'avait laissée, c'est-à-dire au moment où elle prétendait que Peter ne méritait pas sa femme, de dix-huit ans plus jeune que lui, et qui gratifiait ce vieux maquereau d'un bonheur céleste, tandis que lui, il ressemblait vaguement à un douanier qui se serait adouci avec l'âge, qui laisserait passer des choses mais qui n'en disposerait pas moins du pouvoir de mettre fin abruptement à votre voyage pour peu qu'il ait décidé de sévir. « Merde aux flics ! » crie-t-elle. Et les autres, Mary comprise, crient « Merde aux flics ! » sans avoir suivi le cheminement intérieur de Kathy, bourrée à bloc et rayonnante comme le Big Bang.

Eddy est revenu des toilettes, l'air comblé ; Peter regarde par la fenêtre ; France a toujours son sourire plongé dans son verre ; Mary Ann se concentre sur les commandes, « Quoi ? C'est déjà le temps d'un derringer ? » ; la femme de Peter disparaît dans la cour tandis que Lysa se manifeste pour la première fois de la journée. Elle dit « Vous oubliez quelque chose. » De leur côté, ils avaient oublié Lysa. Lysa est une drôle de fille, bien en chair mais opaque, je veux dire que vous la caresseriez avec la sensation de pétrir de la pâte, en abandonnant l'espoir de la voir s'allumer. Elle repose sur son cul comme une tour sur sa base, et rien ne la fera jamais tomber de son perchoir. Elle possède la certitude d'être, et la certitude d'être la meilleure un peu à l'image de l'Amérique états-unienne. Elle boit de la bière légère pour conserver sa lucidité, et vous pouvez toujours danser ou vous plaindre, vous n'atteindrez jamais le cœur de son bien-être. À côté d'elle, parce que c'est le bout du bar et que personne ne lui demande des comptes, il y a l'étranger qui s'est progressivement intégré à la conversation même s'il fait doublement figure d'étranger, d'abord en tant que simple touriste venu du nord, ensuite pour s'être malencontreusement fourré dans un bar dont la clientèle semble fixe et pour ainsi dire protégée. Après trois heures de questions muettes et de coups d'œil à la dérobée, il finit par comprendre qu'on lui fait maintenant confiance : trop étranger pour constituer une menace, il n'a d'ailleurs visiblement pas l'âme d'un flic. Il prend pourtant des notes, et on lui demande son nom pour être rassuré jusqu'au bout.

Mary Ann esquisse des pas de danse en servant ses clients, parce qu'ils forment une belle grande famille hétéroclite et que l'expression de n'importe quel sentiment n'a rien d'étonnant ni de répréhensible. « On n'a rien oublié du tout ! » dit-elle en appuyant sur le bouton de la télécommande, pour répondre, un peu tardivement tout de même, à la question de Lysa.

Il est cinq heures. L'heure a changé la nuit dernière, il fait déjà presque noir et quelques enfants commencent à s'ébrouer sur les trottoirs, à se prendre pour leurs déguisements, tandis que Carolina Jones enfile ses dessous noirs ornés de dentelles afin de paraître à son avantage sur la scène des Folies Bergères, son « théâtre » comme elle dit.

— O.K., dit Mary, c'est l'heure du premier derringer. Qui en veut, qui n'en veut pas, le dernier n'en aura pas!

Ils lèvent tous le petit doigt, même Kathy, même France. Cette boisson est ainsi nommée d'après le revolver à deux coups qui faisait l'envie des *gamblers*. C'est un petit jus d'orange métissé d'alcool pur, qui se boit cul sec tellement il n'annonce pas sa perfidie. Le deuxième coup survient quand l'alcool est assimilé par l'organisme, et il ne pardonne pas. Les clients se tournent tous vers la télé ouverte et entrent dans le jeu de *Jeopardy* avec beaucoup de compétence. Il y en a toujours un qui connaît la réponse, ensemble ils remporteraient tous les prix. Entre deux questions et réponses, Kathy trouve le moyen de dire à son voisin Eddy qu'il est une merde déguisée en bonbon et qu'elle n'oserait même pas le déballer de peur de se salir.

— Et mon épaule, demande Eddy sans perdre son sourire, est-ce qu'elle est suffisamment enrobée?

— Quelle épaule! fait Kathy.

Le quiz prend possession du bar transformé soudain en salon d'intellectuels. Ils savent observer suffisamment le silence pour que le savoir s'épanouisse en cris délirants et en réponses justes. On croit rêver tellement les connaissances de tous ordres semblent courir les rues, se glisser dans les bars et s'emparer des consciences au point de suspendre pour un moment l'envie de boire. Ils se montrent aussi ferrés en histoire qu'en géographie, en médecine qu'en science politique. Ils n'ont peut-être plus besoin de refaire le monde, puisque la révolution est faite en chacun d'eux. Ils aiment visiblement le croire.

— Qu'est-ce que c'est ? demande l'étranger.

— *Just a T.V. game for cracked nuts !* explique Kathy.

— C'est un quiz, nommé *Jeopardy*, nuance Mary Ann, ça passe le temps et ça sert à gagner de l'argent.

La partie va de l'avant, les enjeux montent, et chacun sent qu'il est exaltant de se tenir à la fine pointe de l'esprit, à la fine pointe du plaisir, quitte à se trouver dans une bulle pour un temps, à planer au-dessus des contingences ordinaires de la vie. Quitte à ce que le bar de Mary Ann soit un aquarium où nagent les diverses formes du bonheur : cette ferveur de banc d'école, cette fraîcheur retrouvée, l'éternité du désir d'être plus que soi, même en forçant un peu la note, se sentir magnifique dans son corps, fût-ce au moyen d'artifices. Et les ondes du plaisir continuent de se propager jusqu'au moment où l'animateur du quiz a la mauvaise idée de prononcer le nom du chef indien qui a résisté à l'armée américaine à Wounded Knee.

Alors Kathy, panthère amaigrie mais exquise, bondit de sa chaise et pousse de terribles feulements. Elle gueule vers les quatre coins du bar sans jamais diriger ses reproches hurlants vers quelqu'un en particulier. L'araignée qui pend de la toile commence à se balancer. Elle me rend malade, la Kathy ! pense Mary Ann, c'est une flambeuse, elle jouit de brûler tout ce qu'elle possède, jusqu'à sa beauté ! Et Kathy gueule maintenant dans le dos de chacun des buveurs en improvisant une petite danse indienne pour les ramener à la réalité. Elle s'empare d'une poubelle de métal et s'en sert comme d'un tambour. Ils font tous comme si elle ne criait pas, ne dansait pas, ne jouait pas du tambour. C'est un spectacle saisissant que cette capacité de nier un événement en abolissant jusqu'à son existence pourtant tonitruante.

Le quiz prend fin, la musique de Kathy prend fin et la télé se ferme. Alors l'étranger offre le second derringer. « Tenez-vous les oreilles ! » dit Mary Ann. Elle brasse ses glaçons et trouve les verres plus lourds, puis elle se réinstalle confortablement devant son bol à grignotines. Le derringer descend dans les gorges apaisées et The Abbey ressemble à un bar ordinaire, soudain silencieux. Il y a bien quelques enfants égarés et déguisés qui s'aventurent en deçà du seuil, font deux pas, s'immobilisent à la vue de l'araignée et de toutes ces formes humaines affaissées, et qui prennent la poudre d'escampette.

Aux Folies Bergères, c'est au tour de Carolina de monter sur la scène. « Un spectacle solo, sinon je déguerpis ! » Comme toujours, bien sûr. On a l'habitude et personne ne songe plus à négocier ses caprices. Elle commence son spectacle en animant la jambe gauche d'abord. Cela ressemble au mouvement lent du serpent qui s'apprête à grimper à l'arbre. Seule sa jambe gauche vit, mais déjà toute la sensualité du corps s'y est concentrée et s'y manifeste. « Hey Boys ! Vous avez besoin de lunettes ? » Son jeu est si pervers que la danse pourrait s'arrêter là sans que la clientèle songe à exiger le remboursement pour interruption de spectacle. Puis en douceur, la hanche et le ventre s'animent. L'autre jambe. Le buste de Carolina. « Hey Boys ! Vous avez peur de vous abîmer les mains en applaudissant ? » Elle les interpelle, sans perdre une minime fraction de son rythme. Ses bras semblent d'abord des objets superflus, qui viennent bientôt couronner celle qui danse comme la couronne se pose sur le front de la reine, ajoutant ici et là la masse de lumière qui manquait à l'harmonie parfaite. Et quand enfin elle se pose à contretemps, se tourne pour river les regards à la fesse haute qui bouge, c'est le délire. Carolina a gagné, elle pourra tranquillement déambuler parmi les spectateurs qui lui glisseront de généreux pourboires sous l'élastique de son tanga importé du Brésil. Mais il y a ce loustic qui crie « En Amérique, le sexe est une marchandise qu'on achète mais qu'on n'obtient jamais ! » Il aurait souhaité la voir nue comme un ver, selon les mots même de la publicité, trompeuse, placardée à la face externe de la porte.

— Je suis une artiste, moi ! proteste Carolina en s'enfuyant dans les coulisses.

L'effronté la renvoyait tout de même à son état d'aguicheuse et son triomphe s'en trouvait terni.

The Abbey. Le revolver à deux coups fait son effet. Ceux qui parlent parlent de sexe. Pourquoi le vieux voulait sortir de l'hospice après y être entré ? Parce que le premier jour on l'avait séduit sur sa couche : il avait eu droit aux faveurs de l'infirmière. Bien sûr, tout cela est imaginaire, mais

enfin, c'est la même chose. Et le second jour ? Rien.
Et le premier mois ? Rien, sinon ceci : chaque fois
qu'il tombe, il y a un infirmier qui en profite pour
lui redresser la colonne au moyen de son instrument. Où est le problème ? Le problème c'est que
s'il bande une fois par mois, il tombe maintenant
trois fois par jour.

C'est Kathy qui rit le plus fort. Eddy sourit.
France s'essuie les lèvres et plonge dans son verre
pour ne pas voir la figure des autres. Elle a peur
d'y lire une culpabilité, celle de s'être abandonnée
à des choses vulgaires. Elle les voit tous rougis du
cou jusqu'au front, parfaitement déguisés pour
l'Halloween. Peter, lui, ne manifeste rien de particulier. Il surveille sa mise, c'est-à-dire Kathy. Si elle
se comporte bien, Eddy fera peut-être le saut.
Quant à France, ça lui ferait un sacré bien mais
elle ne le sait pas encore. Et Mary Ann. C'est le
gros poisson, la grosse tortue si vous préférez.
Embarquez Mary Ann et les jeux sont faits, Peter
n'aurait même plus besoin de descendre de l'étage
pour livrer la marchandise. Mary se ferait dili-
gente, pour elle et pour les autres, et puis elle
retrouverait sa ligne. Mais elle résiste, l'empâtée !
Elle croit encore que le bonheur consiste à transformer ses rêves en réalité, alors que c'est de toute
évidence le contraire : changer la réalité en rêve.
Elle y viendra peut-être.

Mary met une musique de jazz plus langou-
reuse, le genre de musique qui ne vous demande
pas ce que vous faites dans la vie mais pourquoi
vous existez. On dirait qu'ils ont tous compris le

message. Eddy se met à philosopher. Il rêve de New York où le climat est plus net, où les gratte-ciel ne forment pas une petite tache arbitraire mais tout un ciel, dans quelque direction que vous vous tourniez. Il veut partir, parce que les choses de New Orleans lui échappent, toujours entre l'incendie et le brouillard. « Pars donc, si t'en as autant envie ! » « Je peux pas, parce qu'ici il y a The Abbey ! » prétexte-t-il. « Merci ! » dit Mary Ann. « Non, folks, ajoute Peter, vous n'avez rien compris. La question est la suivante : si l'Amérique est une cuisine de saucisses, voulez-vous être celui qui produit la saucisse ou celui qui la mange ? » « Double trou du cul ! dit Kathy. La blanche que je consomme, je sais pas si c'est toi qui la produis, en tout cas c'est toi qui empoches les profits ! » « Ouahouou ! » Kathy se remet aussitôt à planer, « Moi j'existe pour aimer, je ne vois pas ce qu'il y a d'autre. » « Ta gueule ! » voudrait dire Mary Ann, qui choisit plutôt de se mordre la lèvre. « Mais il y a toujours un enfant de chienne qui s'interpose pour tout gâcher. »

— Vos gueules ! crie soudain Mary Ann. Vous ne savez pas de quoi vous parlez ! Sa robe de sorcière noire, trop remplie, a du mal à frémir autour de son corps. Vous me faites chier.

Ils plongent tous le nez dans leur verre, mais cette intervention ne les dérange pas vraiment. Ils reviendront demain. Après tout, si Mary Ann a besoin de se défouler, ça la regarde.

— Vas-y, Mary Ann ! ose soudain lancer France. Son premier et dernier mot de la journée.

Elle aurait dû garder le nez enfoncé dans son verre, celle-là, blessée avant de bouger, hors du coup depuis trop longtemps. Non mais de quoi je me mêle ? Mary Ann lui en veut d'être cela — une autre elle-même le nez plongé dans son verre, incapable de revendiquer sa place —, et d'être aussi sa caricature inversée qui tente de prendre à l'intérieur de son propre corps l'espace qu'elle a abandonné aux autres. Elle rapetisse, la maudite !

Mais c'est l'Halloween après tout, Mary Ann a envie de dire quelque chose d'elle, de se donner en spectacle s'il le faut, ils ne l'ont jamais regardée autrement qu'en serveuse, ils pourraient bien avoir des surprises, ces parasites ! Une ardeur la saisit soudain, une violence qui lui est étrangère et la pousse à monter sur une chaise, à se hisser sur la table branlante. Elle a le sentiment d'habiter son costume pour la première fois de la soirée. Elle sent le soufre parce qu'elle sort tout juste de l'enfer. Ils crient « Le show de Mary Ann ! », mais ils savent qu'elle n'a jamais agi de la sorte, qu'elle oublie simplement ses fonctions d'hôtesse, que cela n'est pas un spectacle, qu'il faut craindre le pire. Qu'importe ! ils ne sont pas sa mère après tout, ils sont curieux de voir si Mary Ann jouera jusqu'au bout, qu'elle mette ses tripes sur la table si ça lui chante, pourvu qu'elle le fasse selon les règles de l'art ! Peter s'approche et glisse un billet d'un dollar dans son corsage.

— Vas-y, Mary Ann ! ajoute à son tour Kathy, dans sa hâte de voir comment la grosse va s'en tirer, si elle va trébucher en appelant sa mère ou si elle va réussir à s'envoler un peu, par la grâce de la parole et la magie du rêve. Envole-toi un peu !

— On sait bien, toi ! réplique Mary Ann, t'as que la peau et les os, c'est pas difficile de t'envoler !

— J'ai peut-être moins d'appétit que toi !

— T'en as trop pour la poudre blanche !

— Fuck !

Mary Ann exige le silence, demande à Peter de mettre un disque en annonçant qu'elle va danser. Eddy pense, elle se prend vraiment pour sa mère, on s'achemine vers un désastre ! Elle commence par remonter sa jupe sur ses bas noirs, puis elle roule des hanches, les jambes suivent, et les pieds. Les sept chevaliers étouffent des rires. De toute façon, ils ne peuvent plus se lever pour la secourir, après tout cet alcool ingurgité et le deuxième derringer qui les paralysent, noyant Mary dans le brouillard de leurs yeux. « Vas-y, Mary. » Avant même d'avoir exécuté trois pas de danse complets, elle commence à parler, à dire que l'Amérique c'est exactement comme sa mère... Vous voulez des gâteries, une voiture, un bar, une bicyclette, n'importe quoi, on vous le donne, même à crédit, mais on ne vous donne pas ce qui va avec... « De quoi tu causes, mon lapin ! intervient Peter, on t'a déjà donné une bicyclette sans les roues qui vont avec ? » Ici n'importe qui fait n'importe quoi, s'agite, démolit construit, c'est le rêve, mais c'est un rêve faux, parce que personne n'enfourche le rêve, sauf celui qui l'invente, et encore ! « Mary est en manque, vite un homme ! »

— Vas-y, Mary !

Elle revoit sa mère qui l'invite à sa boîte pour lui prouver que ce n'est pas si terrible après tout : elle pratique un métier comme un autre, la preuve : elle peut s'exécuter devant sa propre fille. « Une aguicheuse, voilà ce que tu es ! Tu promets tout mais tu ne donnes rien. » Et Mary fixe intensément Eddy, oh celui-là ! pourquoi ne l'aime-t-il pas ? C'est le plus raffiné de la bande, un drôle, un sensible, mais qui se trouve déjà comme à côté de sa vie, parce qu'il est revenu de tout, même de l'amour. Puis son regard glisse sur l'étranger, s'arrête à Lysa, qui aurait pu être une amie si elle n'était pas bardée de tout côté et bourrée d'indifférence ; son regard se heurte au front épanoui de Peter, Peter qui l'utilise pour les fins de son petit commerce à lui, elle a d'ailleurs raison de résister à ses propositions, elle sent bien qu'elle a le pied au bord du gouffre à cause de lui. Il suffit de regarder Kathy : elle a plongé à cause de Peter qui lui tenait la main, elle ne remontera jamais. Mary Ann juge sévèrement Kathy même si elle la croit perdue, mais quant au reste, la beauté et l'élégance de cette dernière lui enfoncent son propre échec dans la gorge en même temps que ses amuse-gueule.

Sa voix, habituellement douce et arrondie quand elle joue les serveuses derrière son comptoir, devient aigre, rauque comme du papier que l'on déchire. Mary se vide le cœur. Chacun est le charognard de l'autre et se nourrit de lui tandis qu'il est encore vivant. Elle voit l'aguicheuse Amérique surgir de sa boîte la nuit en criant « Tricks or Treat », la culotte bourrée de crasseux billets de

banque, et marcher avec assurance vers le lendemain.

— Tu me coupes l'appétit ! dit la femme de Peter.
Je préfère rentrer. Où est le petit Paul ?

— Je ne sais pas, en haut peut-être.

— Continue, tu nous intéresses !

Et Mary termine sa tirade en murmurant « Fuck
New Orleans ! Fuck l'Amérique ! Fuck le monde ! »

— Putain ! fait Eddy, Mary Ann est lancée.

Elle s'apprête à descendre de son perchoir, épui-
sée, couverte de sueur mais grisée d'avoir pu expo-
ser son point de vue jusqu'au bout — il fallait sans
doute le prétexte de la fête et l'excuse de l'alcool —,
quand une araignée vivante glisse depuis le plafond jusqu'à la hauteur de son nez. Elle pousse un
cri d'horreur, amorce un faux mouvement et
dégringole jusqu'à terre, la tête dans son bol à grignotines.

Les autres mettent du temps à réagir, comme
s'ils se contentaient d'enregistrer la scène. Kathy
constate tout haut « Elle est tombée », puis France
replonge dans son verre après un bref regard du
côté de la blessée. Alors seulement Peter fait signe
à Eddy de se remuer un peu, et ils se rendent
auprès de Mary Ann dont la blessure au front
saigne abondamment. Ils la soulèvent pour la
déposer sur le banc et quelqu'un suggère d'appeler
l'ambulance. « Attendez ! je crois qu'elle revient à
elle. » « Tu vois bien que non ! »

« Bloody Mary ! » dit Lysa, et Peter lui fait remarquer que ce n'est vraiment pas le temps de se com-
mander un drink.

Promenade

«Soit! dira le douanier qui me hante, Mary est tombée de son perchoir, ce sont des choses qui arrivent, disons qu'elle avait le physique de l'emploi ou de l'accident!» Et il poursuivra : «Je vous ferai d'ailleurs remarquer qu'en Amérique une jeune femme n'emploie jamais un langage aussi vulgaire, surtout quand elle se trouve en société. Vous en remettez, pour nous salir peut-être? Et d'autre part, que vient faire cet étranger dans votre histoire? Car c'est bien vous, l'étranger, non?»

Il ne faut jamais répondre qu'à demi aux douaniers. Je lui expliquerai donc que si les clients pratiquent la vulgarité sur une haute échelle au bar The Abbey, c'est justement par résistance à la bonne société, qui, elle, parle toujours correctement quand elle se flatte d'exercer sa liberté de parole. C'est une autre façon de contester la rectitude politique et tout l'ordre imposé. Les habitués du bar n'en peuvent plus de l'Amérique puritaine, elle leur sort par les trous du nez, ça se voit et je n'y peux rien. Je lui dirai enfin, au douanier qui n'a jamais entendu de tels propos, qu'il possède sans doute une oreille sélective, en quoi je ne l'envie pas du tout. «Et Carolina, fait-il, vous n'allez pas prétendre qu'elle est une mère modèle?»

Sur le corps de Carolina la sueur se condense en diamants qui brillent, mais sur la peau de Mary Ann les gouttes de sueur sont de l'eau qui pèse et qui ruisselle.

Si Carolina se trouvait sur les lieux, à The Abbey, elle dirait «Pas touche!» car elle y tient mordicus à ses biens, elle ne permettrait pas que l'on pose la patte sur sa fille, fût-ce pour l'aider. Carolina les chasse donc tous à coups de balai et se met en frais de ressusciter sa fille. «Qu'est-ce qui t'a pris de monter sur la table? Ce n'est pas ce qu'on te demande, à toi!» La fille sourit, elle est sauvée. Et Carolina ferme le bar, revient auprès de Mary Ann après avoir rempli un bol d'eau tiède et s'être muni de peroxyde. Elle désinfecte la plaie, «Tu en seras quitte pour une bosse de plus! Tu te rappelles ton dixième anniversaire? je t'avais habillée d'une longue robe blanche, tu ressemblais à une petite fée. Et il y avait Bob, l'infernal gamin, qui n'avait rien trouvé de mieux que de te rouler dans la boue…» «Et que tu as poursuivi avec un couteau…» «Je voulais le tuer…» «Dommage que tu ne l'aies pas rattrapé!» «Tu crois?» «Parce qu'il y a eu beaucoup d'autres gamins par la suite…» Elle lui lave soigneusement la figure, puis le cou. Puis elle éclate de rire pour résister à l'impression furtive d'être en train de laver un cadavre, «Tu n'es pas morte tout de même!»

Mary Ann ne peut pas expliquer à sa mère qu'elle se sent comme morte. Elle n'a jamais réussi à s'agripper aux rêves qui passaient à sa portée. Elle s'est toujours retrouvée face contre terre malgré ses désirs d'envol. Sa mère ressemble peut-être à une sorte de prostituée mais elle ressemble encore davantage à la vie tout court. C'est la vie qui promet plus qu'elle ne donne. Demandez à n'importe quel vieillard qui a réussi à la traverser, il vous dira qu'on est tous en dessous de nos rêves, comme des poissons sous l'appât mobile. Faut-il vraiment fermer les mâchoires là-dessus? Le problème des habitués de son bar, c'est qu'ils ne sont pas dupes des promesses en général.

— Pourquoi ne m'as-tu jamais empêché de manger toutes ces cochonneries?

— Mais tu me disais de me mêler de mes affaires!

— Tu disais «Mange mon ange!», mais je mangeais déjà comme un alligator.

— Tu exagères un brin…

— Pourquoi ne m'as-tu jamais enseigné l'art de séduire? Ce n'est pas drôle, et pourtant tu ris.

Mais Carolina n'est pas sur les lieux, elle se trouve sur la scène des Folies Bergères, où elle donne son dernier spectacle de la soirée — elle a toujours exigé un horaire qui lui permette de ne pas se coucher trop tard pour ménager son teint. Elle ne sait pas que ce sera son dernier spectacle. Elle entre, joue de la cuisse, fait trembler sa hanche au rythme du jazz…

— Mary, bouge! Fais quelque chose! Es-tu blessée? demande Eddy.

… le jazz qui emporte tout, et le public applaudit déjà, avant la fin du numéro. «Attendez un peu, on ne fait que commencer!» dit Carolina. La pensée qu'on veut se débarrasser d'elle l'effleure à peine. Elle continue en redoublant d'ardeur. Les yeux sont rivés sur elle, même si plusieurs clients affectent de bavarder avec leurs amis…

— Appelez l'ambulance si vous voulez, moi je déguerpis ! assure Kathy.

— Elle revient à elle ! Tu nous as fichu une sacrée peur, Mary Ann Jones.

… et l'un d'eux en particulier commence à s'agiter, comme si le charme de Carolina n'opérait pas sur lui. Un grossier personnage qui siffle, vraisemblablement un péquenaud du Middle West qui ne connaît pas l'histoire de la danseuse. Sa table s'est transformée en batterie, une vague de bruits submerge le petit orchestre, ou peut-être que le son de l'orchestre s'amenuise parce que les musiciens oublient de respirer à fond. Carolina est en retard sur le rythme…

— Vas-y, Mary, montre si tu peux marcher, essaie de te lever !

… elle sent la dysharmonie s'installer entre son corps et la musique, quelque chose s'est déchiré dans le tissu du spectacle, si fragile, elle avait pressenti depuis longtemps que ce moment pourrait arriver, mais son instinct la maintenait hors d'atteinte, parce qu'elle sentait que la magie émanait d'elle…

— Accroche-toi, Mary !

… Carolina lève le pied gauche et pour la première fois elle sent qu'elle est en déséquilibre, est-ce Dieu possible ? en déséquilibre, comme une personne ordinaire qui va perdre pied simplement parce qu'un obstacle imprévu surgit sur sa route, elle qui a pourtant toujours dissimulé les obstacles dans les courbes naturelles de son rythme ! C'est ça l'art de la danse après tout !…

— Je peux marcher, je crois, dit Mary.

... Alors, saisissant dans les yeux de Carolina cet éclair de détresse qui ouvre la porte au malheur, le malotru se met à crier « C'est qui, la vieille chose qui danse ? Vous avez rien de plus frais à nous proposer ? » Il est enfin expulsé par un garde auquel un client prête main-forte, viré sur la tête, roulé comme une boule de quille au milieu de la rue Bourbon, la bouche sanglante. Mais sur la scène Carolina s'est immobilisée. Complètement paralysée, raidie, sa peau craquelle, elle tombe en lambeaux dans un cliquetis de verre brisé. On l'entoure, on la couvre d'un manteau pour la soustraire à la vue des curieux sans doute, puis on l'emporte dans les coulisses.

Mary Ann les met tous à la porte et ferme The Abbey pour la nuit. Elle s'allonge sur le banc pour réfléchir et pour rêver peut-être.

Bien sûr qu'on peut rêver en Amérique, mais il ne faut pas se tromper de rêve, car il y a des hordes d'enragés qui se chargent de vous rappeler à l'ordre. À l'ordre ! Vous désobéissez à la morale, à la loi de Dieu, vous vous écartez des sentiers battus, vous serez battus à moins que vous n'ayez erré dans l'unique but de faire rire. Parce qu'on a encore le sens de l'humour, mais on fuit le drame comme la peste. Le drame n'existe pas, il se classe dans les faits divers, c'est-à-dire sous la rubrique des accidents, et de cette manière chacun peut conserver son sourire, qui témoigne du bonheur et de la douceur de vivre. Si Mary Ann est tombée, c'est un pur effet du hasard.

Mary Ann a envie de demander : Avez-vous déjà remarqué à quel point nous courons tous après des mythes ? À quel point celui qui travaille croit qu'il s'enrichit — parce qu'il y a une mince possibilité de s'enrichir ; celui qui travaille croit qu'il est heureux, il bouge, il mobilise son esprit et son corps dans une tâche de construction qui le comble d'aise — parce que tout est à construire, et le rythme des choses bat si vite que même ce qui est construit sera bientôt à reconstruire ; celui qui aime croit qu'il recommence le monde — parce que le monde, ici, a déjà été recommencé de cette façon-là.

Mais si les Américains se voyaient tout à coup comme des lévriers courant après un faux lapin dans une course au bénéfice d'une autre cause que la leur, l'image de l'Amérique s'effondrerait et toute l'Amérique elle-même. C'est ce qui est arrivé aux soldats, retour du Viêt-nam. Quelques-uns des Américains s'identifient aux lévriers tandis que la plupart rêvent qu'ils sont les organisateurs de la course. Mary Ann se demande s'ils ne devraient pas tirer la conclusion inverse.

New Orleans est une ville heureuse, comme il y en a beaucoup en Amérique. Pourtant la nuit, il y a toujours un grand Noir dans quelque rue qui se met à hurler, mais ce n'est pas terrifiant. Son cri est modulé, il hésite entre la plainte lointaine et le chant qui veut en naître tout de même. Il est heureux comme tous les autres, et il l'exprime, mais il exprime surtout son malheur essentiel de n'être pas de plain-pied avec le bonheur, d'être dans la marge, à bout de souffle et d'espérance, mourant sur le seuil du royaume. Dans son cri on distingue facilement le bonheur sous la forme d'un rythme, d'une mélodie tenant dans ses bras, pour la bercer, une souffrance qui ne parvient pas à mourir.

Malgré son métier de fesse haute, Carolina se trouve du côté des organisateurs de la course. Elle s'y est vue propulsée malgré elle, sans le savoir. Et quand elle provoque sa clientèle par ses appels ironiques, elle ne mousse pas sa propre personne mais le jeu qui la nourrit. « Hey Boys ! Je vis d'une image, mais sachez aussi que je vous propose l'image d'un bonheur possible… Quant aux moyens de réaliser votre propre bonheur, bonne chance, boys ! » Comme le Eddy de New York, après sa crise amoureuse.

Mary Ann ne sait pas qu'elle ressemble au grand Noir qui crie la nuit. Ni elle ni lui ne peuvent carrément se plaindre puisqu'ils se nourrissent, s'habillent, gagnent leur vie honorablement. Mais quelque chose manque, et ils voudraient exprimer cette incommensurable frustration de se heurter à la porte du royaume et d'en entrevoir le luxe indolent seulement à travers la vitre. Vous ne nous avez pas dépossédés de tout, pourraient-ils dire, mais vous ne nous avez pas livré le petit supplément d'argent, d'affection, de succès, de beauté, qui constitue l'assise même du bonheur. De plus vous nous rendez malheureux en nous laissant croire qu'un autre bonheur existe.

« Maman, tu m'as trompée ! a envie de crier Mary Ann. Va te faire cuire un œuf ! » Elle a pourtant

beaucoup moins de raisons de crier que Mary Two-
Tals par exemple, qui en a plus que Marie Agnelle,
qui en a moins que Mary de New York. Et peut-être
qu'après tout, les drames sont à la mesure des
mythes culturels et de leur degré de raffinement. De
toute manière Carolina est condamnée, et il faudra
bien plus que les deux bras de sa fille pour la
remettre debout.

On pourrait également imaginer que Mary Ann
est lasse de servir. La voilà qui chipe le bateau de
sa mère pour foncer dans le bayou Segnette à la
poursuite du soleil sur l'eau, cet éclat de l'eau qui
devient miroir, blancheur miroitante, qui tranche
net le tronc des arbres sans pourtant cesser de les
nourrir derrière la vitre, dans les profondeurs. C'est
justement à cette surface glacée que Mary Ann
voudrait s'en prendre, entre le soleil et la masse
noire de l'eau, à la frontière de l'eau, pour la traverser enfin ou s'y consumer. Elle n'arrive qu'à faire la
planche, oh elle flotte comme une bouée, la fille
aux rêves! qui avait réussi à détourner toutes ses
passions vers sa bouche. Mais quand elle a l'air de
dormir à quelques pieds du bateau, un alligator
monstrueux, ayant survécu depuis des années aux
parties de chasse de l'automne − lorsque les chasseurs alimentent le marché local de sa peau et de
sa chair −, l'alligator s'approche, ouvre ses superbes
mâchoire, et la croque.

Voilà une façon d'en finir qui aurait bien plu à
Marie Agnelle...

Et moi, foi de promeneur, je vois l'âme de Mary
Ann Jones qui s'échappe, frôle la coque du bateau,

s'engage entre les arbres chevelus et disparaît au tournant du bayou vers le golfe du Mexique et l'océan. J'hésite à le dire mais elle ressemble à une flamme qui s'efforcerait d'apprendre à nager, car il y a de la fantaisie autant que de la pesanteur dans ses mouvements d'ailes. Va! Je saurai bien te retrouver, Mary Ann Jones! et te prouver que je tiens tout de même un peu à toi.

Tableau VI

L'air

María Moreno, enfant métissée de si longue date que la mémoire s'en était perdue chez son père même, avait pourtant hérité d'yeux noirs légèrement bridés qui faisaient la moitié de son charme. Elle cousait dans l'atelier familial. Elle s'attaquait habituellement aux chemises pour enfants, parce qu'on trouvait que c'était de son âge, et elle s'était montrée si habile à enfiler l'aiguille qu'on l'avait surnommée « l'enfileuse » bien avant qu'elle eût treize ans. C'est que la gamine, grâce à ses yeux de chat, voyait dans la pénombre qui régnait dans la boutique bien plus souvent que la lumière, puisque Duardo Moreno économisait sur tout, y compris sur la nourriture et l'électricité, pour se procurer des bouts d'étoffe. « Sans matière première, disait-il, où irions-nous ? » Et voilà qu'il coupait l'électricité en faisant croire à une panne. Le strata-gème réussissait d'autant mieux que les pannes étaient monnaie courante dans son quartier et per-sonne n'aurait pu y déceler une malice quelconque.

Cette fin d'après-midi, presque dans le noir, María travaillait les mains sous la table, pour protéger un secret. Les deux autres employées lui jetaient un regard attendri en haussant les épaules, car elles croyaient que María se sentait lasse au point de travailler les mains sur les cuisses. Pauvre enfant ! pensaient-elles, elle n'a pas beaucoup d'avenir à s'escrimer si jeune dans l'étoffe. María était passionnée des tissus, dont elle devinait tout de suite l'utilité optimale rien qu'à les tâter, si bien qu'elle faisait des prodiges d'économies, qui étaient toujours versées au compte de la boutique. Quand sa main toucha quelques retailles de soie fine, oh à peine de quoi coudre un mouchoir, elle ne put résister à la tentation de s'en emparer. Elle posa un morceau de soie contre son avant-bras et se mit à frotter gentiment. La douceur qui se répandit dans son corps lui parut si enviable, si proche de la faim au moment d'engloutir la première bouchée du repas, qu'elle glissa les pièces de soie dans sa poche en se demandant ce qu'elle pourrait bien en faire. Rien, se dit-elle, c'est-à-dire une petite culotte, seulement pour m'amuser.

Elle dessina son modèle vite fait et s'occupa à construire, comme on assemble un casse-tête de pièces ridiculement petites, le somptueux triangle qui la tiendrait au chaud. Elle achevait son ouvrage quand Duardo surgit dans l'atelier en exigeant des comptes, selon son habitude. María laissa nonchalamment tomber la petite culotte par terre pour montrer que ses mains s'affairaient vraiment ailleurs, à cette fichue chemise qui gisait, encore démembrée, sur la table. Mais son père avait l'œil, elle aurait dû le savoir. Il s'approcha, se pencha, exhiba l'objet du larcin dans les airs et demanda tout de go « Quoi c'est ça ? » ¿ *Que es eso ?* María ne dit rien d'abord, puis elle rougit et protesta : « Mais on ne pouvait rien en faire ! » « Tu crois que ton derrière mérite la soie ? Je t'en foutrai, moi, des culottes ! » À ce moment précis Duardo réalisa qu'il avait devant lui un beau brin de fille : María tenait déjà ses promesses, une sacrée allure ! avec son front haut légèrement bombé, ses yeux comme des noyaux de prune, son dos droit, ses petits seins comme des poires, et cette façon de marcher, légère, qui rappelait l'oiseau. « C'est bon ! » fit-il, soudain adouci. « Et remettez-vous à l'ouvrage, c'est pour ça que je vous paie ! »

Le soir même María décida de dormir avec sa culotte de soie. Elle fit un rêve dans lequel un prince lui ouvrait sa porte et l'introduisait tout de suite dans l'immense salle à manger où pendaient des lustres, où la table était dressée pour un banquet. Les invités en sont déjà à la pièce de résistance et c'est tout naturellement que María s'assoit parmi eux. Elle se défait de son imperméable qu'elle cherche aussitôt à dissimuler, parce qu'il est usé aux coudes et tout autour des boutonnières, cela se voit horriblement, alors elle décide de le glisser sous la table dans un mouvement du plus haut naturel. Puis elle hésite à s'emparer d'une fourchette et à porter à sa bouche ce délicieux morceau d'agneau qui baigne dans son jus : elle ne voudrait pas paraître affamée tandis que les autres semblent surtout occupés à discuter tout en jouant distraitement de la fourchette dans leur propre assiette. Elle se décide enfin, elle mange, et la nourriture descend dans son ventre. Elle y sent une chaleur soudaine analogue à la brûlure d'un baiser. Quand arrive le dessert elle constate avec amusement que chaque fruit est enveloppé de soie. Alors elle éclate de rire, elle n'en peut plus, elle va s'étrangler, « Mais pourquoi ? » demande-t-elle, « Vous avez peur qu'ils prennent froid ? » Puis elle entend la voix de son père qui dit « Si j'en prends une à me voler, je l'étripe ! »

María s'est réveillée en sueur, elle a porté la main à son entrejambe pour vérifier si la culotte était bien en place. Ensuite elle a constaté qu'elle avait faim. Pas une petite faim d'après-midi ou du milieu de la nuit, non, une faim essentielle, jamais satisfaite, parce que cette drôle de chose qu'est la nourriture, il faut la partager avec ses huit frères et sœurs, et en la partageant on la réduit. Son père dit qu'elle est plus belle d'avoir les joues creuses. « Vas-y, María, donne l'exemple ! Vas-y, María, travaille ! Tu es notre petite mère à tous ! » Elle les traîne effectivement et considère la chaîne qui la relie à eux tous inutilement lourde. Ils sont vraiment insatiables ! Eh ! as-tu encore oublié les sandales du petit dernier ? Eh ! comment tu peux expliquer qu'il soit tout nu, alors que toi tu t'habilles comme une princesse ? Ce n'est tout de même pas sa faute si son père lui refile les vieux tissus au compte-gouttes, la dernière fois qu'elle a voulu coudre un pantalon pour Umberto il a fait une scène. On ne peut pas à la fois vivre dans la misère et faire comme si on avait droit au luxe! Elle toucha de nouveau la pièce de soie, sentit qu'elle rougissait et conclut finalement qu'elle n'avait pas à avoir honte. Contrairement à ses frères et sœurs, elle était faite pour la soie… et pourquoi pas? Elle la méritait pleinement puisqu'elle avait usé ses doigts à l'atelier, permettant à Duardo d'éviter la faillite année après année, de nourrir ses petits frères, qu'ils ne crèvent pas complètement de faim. Ils pouvaient toujours lui faire des reproches, du plus gringalet au plus costaud, elle ne saurait leur donner plus. Et que le vent m'emporte!

Au fil des mois, économisant par ci par là, subtilisant adroitement les bouts de tissu qui ne pouvaient plus servir, elle parvint en effet à s'habiller comme une reine. Duardo Moreno la laissait tranquille. On aurait cru qu'il allait tempêter, mais non, il semblait y trouver son profit. « Je vous présente la reine du quartier, disait-il. Mirez-moi un peu la grâce, et le port altier, et la ferveur de l'œil ! » Où va-t-il chercher tout ça? se demandait sa fille. C'était surtout contre le mot ferveur qu'elle butait, l'associant malgré elle à une passion mauvaise. Mais elle croyait comprendre que son père l'avait transformée en défilé de mode, et que plus elle apparaîtrait rayonnante dans les rues poussiéreuses de la colónia, plus il vendrait de tissus et de robes, de quoi les nourrir une miette en attendant que le marché reprenne, et qu'ils se mettent à faire des affaires d'or.

Une année passa, Duardo consacrant toujours un temps fou à raccommoder ses dettes. « Les gens d'ici n'achètent pas, il faudrait monter en ville.» Il le disait comme on énonce une vérité éternelle, qui n'a pas vraiment d'application concrète. Il flairait une vague possibilité de commerce florissant auprès d'une clientèle riche, qui ne rechigne pas à dépenser, à dépenser pour rien parfois, pour la simple beauté du geste. C'est à cela qu'il reconnaissait les grands clients : ceux qui achètent ce dont ils n'ont pas besoin. Mais il ne pouvait pas dire que son quartier comptait un seul vrai grand client, parce que l'économie générale allait très mal, c'est comme une roue qui tourne ou qui s'arrête, arrêtez-la et vous aurez toutes les peines du monde à la remettre en marche. La roue de l'économie de Duardo n'avait jamais vraiment tourné, il s'essoufflait à tenter de la mettre en marche à coup d'idées géniales et en rognant sur l'énergie.

C'est ainsi qu'il perçut María dans un deuxième rôle : attachée à la roue de l'économie de sa boutique et prête à foncer dans le grand monde. Il faut dire que quelques jours avant sa méditation économique était survenu un curieux personnage, qui se disait conseiller en développement industriel et envoyé par le gouvernement pour relancer les affaires dans la proche banlieue de México. Beau parleur, José entreprit de montrer à Moreno que s'il n'était pas encore riche, c'est qu'il n'avait pas réussi à exploiter convenablement ses avoirs. Duardo Moreno s'efforçait de ne pas voir que le grand conseiller reluquait sa fille en continuant d'énumérer ses autres propriétés : du personnel qui

tient à gagner quelques pesos, une certaine exper-
tise dans la couture, quelques machines à coudre,
vieilles mais tout de même! et enfin son sens de
l'organisation. Mais il faudrait dépoussiérer tout
cela, le mettre à jour, et puis voir à le rentabiliser. Il
regardait toujours María. C'était le problème habituel des petites entreprises, elles ne voyaient pas
assez grand, et leur manque d'ambition les condui-
saient à végéter. Il faut doubler la production et se
lancer agressivement dans la distribution, parce
qu'il y a dans vos modèles de chemises un petit je-
ne-sais-quoi qu'on ne trouve nulle part ailleurs.
Duardo fit un clin d'œil en direction de María, en
qui il reconnaissait l'âme créative de son atelier,
pour aussitôt baisser les épaules dans une attaque
subite de découragement. «C'est bien joli, mais il
manque les capitaux!» «On s'en charge», dit José
en décrivant dans l'air, de sa main droite, une spi-
rale qui ne montrait que trop bien l'aspect dérisoire de cette question. Ce n'étaient pas les capitaux qui manquaient mais le savoir-faire et les
esprits futés! Il fit miroiter à Duardo Moreno la
possibilité d'envahir les marchés du Nord, États-
Unis et Canada confondus, maintenant que
l'ALENA était signé, pourquoi on se gênerait?

Et afin de prouver qu'il était sérieux, il offrit une
glace à toute la famille. On était un dimanche
après tout, et il fallait fêter ça! «Mais il n'y a pas de
vendeur de glaces ici!» fit remarquer María. Qu'à
cela ne tienne! Il les enfourna tous dans sa vieille
Cadillac clinquante, datant de l'époque où cette
voiture avait des ailes de libellule, et il enfila

l'autoroute 95 en direction du centre pour bifurquer ensuite vers San Miguel Ajusco, où il avait
des connaissances et des amis. María n'avait
jamais tant vu de pays. Elle était séduite par les
maisons qui avaient l'air de vraies maisons, et de
plus en plus hautes, mais quand elle regardait au
loin, vers l'ouest, elle distinguait mal les choses,
d'autant plus que le soleil couchant irisait l'air
jaune et donnait à la ville lointaine l'aspect d'un
tableau ancien sur lequel tombe une pluie d'or.

Le marchand de glaces choisi par José crut ce
jour-là que la prospérité était revenue, et José con-
templa longuement María léchant sa glace. Il considéra qu'elle avait une langue qui valait des
milliers de pesos, à la fois agile et précise comme
une langue de chat, qui s'amusait à contourner la
boule de crème glacée on aurait dit pour l'attendrir
avant de l'attaquer d'une lampée féroce qui en
ravageait la belle courbure.

Quand José les déposa devant la boutique, pro-
mettant de revenir le lendemain afin de poursuivre les discussions, toute la famille eut l'air
d'émerger d'un rêve, et María crut que le bonheur
logeait à San Miguel Ajusco. C'est là qu'elle avait
vu flotter pour la première fois dans l'air quelque
chose qui ressemblait au pur plaisir de vivre – elle
avait même ressenti une satisfaction trouble à
regarder de pauvres ouvriers tirer des charrettes
trop lourdes, tandis qu'elle n'avait pour tâche qu'à
faire doucement glisser sa langue sur une glace –,
et elle eut alors la certitude de pouvoir s'échapper
un jour, de n'être plus nécessairement celle qui

s'esquinterait comme une mule entre les bran-
cards.

Le lendemain on écourta la journée de travail
pour en faire coïncider la fin avec le coucher du
soleil. María n'avait cousu qu'une dizaine de chemises, ayant passé son temps à fixer un horizon
vague et lointain où ses rêves se réalisaient, dans
l'ordre. D'abord échapper à ce quartier, parce qu'elle
avait compris qu'elle pourrait seulement y végéter
pendant une petite éternité ; ensuite faire reconnaître ses talents, oh elle ne faisait pas de suren-
chère, elle exigeait à peine un prix décent ; enfin
rencontrer un homme qui serait tout pour elle,
plus que son père et sa mère additionnés, plus
qu'un simple amoureux − ce qui signifie un partage de la misère −, plus qu'un soutien financier
même. Non, son amoureux serait à la fois un père
et un enfant, un être jeune mais rempli de passé,
un être sage mais rempli de fantaisie. Et l'image de
José venait continuellement croiser son regard
envolé au loin, sans qu'elle veuille consentir à s'en
étonner pour y réfléchir. Ce ne pouvait pas être
lui, tout de même !

Fidèle à sa promesse, José fut là, sur le pas de la
porte, réclamant María pour une tournée de glaces.
Elle sortit de la boutique, lui sourit et demanda
« Vous voulez déjà recommencer la tournée de
glaces ? » La proposition lui paraissait suspecte et
maladroite, d'autant que son père venait de lui
faire des reproches en parlant d'un retard général à
rattraper, si on voulait un jour faire plus que survivre dans ce quartier de malheur. « Seulement

pour toi!» trancha José. Alors María entra dans une grande colère, c'était pour toute la famille ou rien du tout! Mais qu'est-ce qu'il croyait? qu'elle allait avec n'importe qui, pour n'importe quoi? Il pensait qu'elle ne valait qu'une glace ou deux? Il rétorqua qu'elle ne comprenait rien, elle était sans doute trop jeune après tout, «Tcha!» fit-elle en le foudroyant du regard. Il ne demandait qu'à aider, elle devrait savoir qu'un homme est un homme, ses intentions étaient honorables, il les aidait tous, mais pourquoi n'en tirerait-il pas une gratification du même coup, s'il ne lésait personne en la favori- sant, elle? María n'était pas complètement naïve, elle savait qu'elle ne possédait que son corps et que c'est lui qu'il convoitait. «Oh! fit-elle, c'est de ça que vous parlez!» Elle n'avait pas tout à fait envi- sagé les choses sous cet angle, puisque José lui rappelait son père: la même façon de montrer que c'est lui le chef, les mêmes pattes d'oie au coin des yeux, indiquant qu'ils en avaient vu d'autres. Lorsqu'il mit la main sur son épaule, elle trouva aussi que cette main ressemblait à celle de son père. Tout en marchant, il l'avait entraînée au milieu de la ruelle pour mieux feindre l'indiffé- rence, mais il ne put s'empêcher de glisser le bras autour de sa taille. Elle se dégagea de son emprise le plus délicatement possible, afin de ne pas faire avorter les négociations de son père, et se dirigea vers la boutique en prenant tout de même la pré- caution, avant de s'y engouffrer, de faire un petit signe du bout des doigts à l'intention de José, qui s'y accrocha de tout son désir.

Il avait sincèrement voulu les aider, tous, mais elle lui avait tapé dans l'œil et à partir de ce moment il s'était mis progressivement à la considérer comme un tribut, le seul paiement digne de son dévouement. Il commença d'abord à rêver d'elle. María voletait autour de lui toute la journée, comblant ses besoins avant même qu'il les eût exprimés, s'interposant quand la disgrâce le menaçait, cirant ses bottes avec le sourire, courant devant lui pour lui ouvrir le chemin et le rafraîchissant du même coup de son gracieux battement d'ailes. Mais la nuit venue, quand il se trouvait seul, il l'imaginait en bête de sexe, à la fois pure et forcenée, qui avait le mérite supplémentaire de lui renvoyer à lui seul la paternité de leurs prouesses inédites. « Ah, María ! » Et de fil en aiguille il construisit son piège en ménageant Duardo et en laissant entendre à María que la prospérité future de la famille ne dépendait plus que de sa bonne décision.

En août il fit une chaleur insupportable, l'air manquait, la sueur coulait jusque dans les yeux, et José n'arrêtait pas de réclamer des chemises : il lui en fallait des dizaines pour la Casa Amarante, une centaine pour Flor del Sur, en plein centre-ville, « Je vous les vends, oui ou non ? Alors à vous de les produire ! » Les ouvrières travaillaient à demi nues, affalées sur leur chaise, et à chaque nouvelle commande elles poussaient des cris d'affolement que Duardo feignait de prendre pour des cris d'allégresse. Ce jour-là, le temps plus lourd que jamais les rendait nerveuses et elles éclataient de rire pour des riens, un bruit de ruelle grinçant comme la voix d'un fantôme, une pensée furtive dont on n'oserait pas suivre le déroulement de peur d'en rougir. La grosse Nitá voulut détendre encore l'atmosphère en susurrant que leurs jolies fesses auraient moins chaud dans une culotte de soie. María n'eut pas l'air d'entendre mais elle se leva d'un bond pour déclarer que l'air de la boutique était plus épais que sa soupe, «tcha!» Et elle sortit prendre l'air sans daigner leur jeter un regard. Duardo errait déjà dans la rue, comme s'il cherchait vainement un coin d'ombre où se rafraîchir. Il s'approcha et lui demanda ce qu'elle pensait de José. «Il est vieux...» fit-elle. «Vieux? Mais de quoi tu parles? Je te demande si tu crois qu'on peut lui faire confiance, pour les affaires.» «À lui, non, mais tu peux me faire confiance à moi.» Il ne chercha pas à savoir ce qu'elle voulait dire. «Tu peux quand même faire de petits compromis, María, pour le bien de la famille. Sans te compromettre...» «Mais de quoi tu parles?»

À ce moment ils virent tous deux surgir un cortège d'enfants, armés de bâtons, qui pourchassaient un rat long comme un chat, «Tue-le! Tue-le! Tue-le!» Toute la rue s'était mobilisée à la tâche, même les adultes payaient de leur personne en faisant barrage de leurs pieds, de leurs genoux, de n'importe quoi sauf les mains, devant la bête affolée. La poursuite du rat s'effectuait cependant sans drame, sans émoi apparent, ils avaient même l'air de s'amuser mais sans excès, comme on se mêle à une partie de chasse devenue trop banale. Les

enfants, eux, riaient de bon cœur lorsque le rat
tentait un bond prodigieux ou virait plus sec que
prévu dans un cul-de-sac. C'était son dérapage qui
les faisait rire. Quand María vit l'animal foncer
vers elle, elle arracha un long bâton des mains du
gamin le plus proche et elle se mit en garde. Puis
elle asséna un coup précis sur le crâne de la bête
qui vola en l'air et retomba plus loin, dans le sens
de sa course toujours. María sourit et chargea de
nouveau, un terrible coup qui brisa les reins du
monstre et mit définitivement fin à la chasse. Elle
y avait consacré une ardeur inhabituelle, parce
que dans le rat elle voyait son père peut-être, la
boutique, toute la colónia, José même s'était méta-
morphosé en rat, elle les tuerait tous pour nettoyer
les lieux, ouvrir le chemin de l'avenir. Elle se mit à
vibrer des pieds à la tête, soudainement remplie
d'une humeur guerrière pareille à celle d'un con-
quistador. «Bravo, María!» fit la voix de José, qui
n'avait rien perdu de la scène et montrait un
enthousiasme excessif. «Bravo, María!», firent
quelques voix lasses. Alors les enfants s'approchè-
rent avec méfiance, poussèrent le rat du bout du
bâton pour vérifier s'il était vraiment mort, «Tu l'as
eu!» dirent-ils, et ils se mirent à le lapider pour le
retuer, afin qu'il n'ait aucune chance de recommencer un jour à ronger le quartier. C'est seulement quand la charge commença à perdre son
sens que l'un des enfants saisit la queue du rat du
bout des doigts, montrant par sa grimace le dédain
qu'il en tirait, le fit tournoyer au-dessus de sa tête
et nous le lança dans les airs si loin que la bête

disparut sans laisser de trace. Dès lors tout le monde s'en désintéressa pour se replonger consciencieusement dans le travail, tandis que José poussait María dans la boutique et arborait son sourire du dimanche. «J'ai une bonne nouvelle!» dit-il tout excité. «Encore!» s'écria la grosse Nitá qui appréhendait d'autres commandes.

Il s'agissait de bien autre chose : José expliquait qu'il leur avait dégoté des super-machines-à-coudre, si performantes qu'on n'avait plus qu'à les regarder faire le travail toutes seules en se tournant les pouces. Les filles n'en croyaient rien, elles savaient d'expérience qu'il y a toujours une attrape : quand ce ne sont pas les mains qui encaissent, ce sont les pieds, ou les reins, ou les yeux. Ils peuvent toujours parler de leurs machines miracles! les enfoirés, les rois de la productivité! José les rassura, il n'y avait pas d'attrape, juré craché, mais quand ses yeux rencontrèrent ceux de María il pâlit et crut bon d'expliquer que ce n'était pas tout à fait un cadeau, bien sûr, en affaires comme en affaires, Duardo en savait quelque chose, qu'est-ce qu'on s'imagine, que l'argent pousse dans les arbres? José s'énervait. Duardo s'énerva à son tour et, dans ces moments-là, il développait un sens pratique redoutable. «Combien tu veux?» demanda-t-il à José. Mais avant de répondre, ce dernier fit un long détour du côté de la compétence ouvrière, qui était une chose, du côté des moyens matériels de production, qui était autre chose, «et enfin il y a le côté de l'organisation!» «Ça fait beaucoup de côtés pour un petit

atelier… » fit remarquer Moreno, qui voulut montrer à l'autre qu'il avait des sympathies à gauche et
qu'il connaissait le vocabulaire : « La force ouvrière,
on en est ; les moyens de production, on veut
bien ; mais tu oublies le capital ! ». « J'y viens, j'y
viens, ne nous affolons pas. » José exigea un entretien privé puisque la suite ne regardait pas les
autres. La force ouvrière – María incluse – quitta
la pièce, trop heureuse de profiter de cette pause
inespérée, et José lâcha sa condition : il ne désirait
que trente pour cent des bénéfices, et l'équivalent
dans la propriété de l'entreprise, attends, attends tu
verras ! et comme les bénéfices dépasseraient les
trente pour cent, autant dire que ses machines ne
lui coûteraient rien. « Et mon entreprise ? Tu m'en
gruges le tiers ? » « C'est normal. On est partenaires.
Tu ne vas tout de même pas m'imaginer en
voleur ! »

Après avoir admiré longuement les machines à
coudre et à la suite d'une brève tourmente intérieure, Duardo se déclara prêt à signer ce contrat
qui contenait bien cinq copies et des dizaines de
phrases inutiles, c'est du moins ce qu'il pensait.
Mais avant de s'exécuter il voulut vérifier l'importance de cet autre bien qui planait au-dessus des
négociations, même s'il n'avait jamais été nommé.
« Et María ? » demanda-t-il, l'air mystérieux. « Quoi
María ? Elle a tant d'imagination ! Il faudra exploiter davantage sa créativité, la nommer par exemple
responsable de l'atelier, non ? »

Duardo n'avait pas compris que José se sentait
suffisamment en confiance pour chiper María sans

avoir besoin de l'inclure au contrat. Il pourrait toujours lui faire accroire à elle qu'il ne s'intéressait à cette boutique et à la famille que pour ses beaux yeux, mais il ne voyait pas l'utilité d'en saisir le père. On installa les machines neuves en veillant à rassurer les filles : rien n'avait changé, sauf qu'elles auraient plus de commandes et des machines à coudre plus rapides que des fées, plus fidèles que des esclaves.

María s'assit devant sa super-machine, qui n'avait de diabolique que son fonctionnement à l'électricité. Elle jugea néanmoins cette amélioration suffisante pour se rapprocher de José et le gratifier d'un sourire de contentement. Il n'était pas si vieux après tout, dans la force de l'âge tout simplement ; il n'était pas si désagréable, un peu trop calculateur peut-être, mais elle ne doutait pas un instant que l'amour le transformerait bientôt en Prince charmant qui lui ouvrirait toutes les portes, celles du confort matériel, et qui sait, jusqu'à celles du bonheur ? Elle en avait tant vu à la télé de ces histoires où l'amour sauve tout le reste, rachète les personnes et les vies ! Pourquoi son sort serait-il différent ? C'est un peu cela, l'Amérique, non ? la chance à tous, et si ce n'est pas cela, qu'est-ce qu'on attend pour le dire ?

Elle accepta de bonne grâce la troisième proposition d'une tournée de glaces à deux, dont il profita pour vérifier de nouveau l'agilité de sa langue et pour lui murmurer à quel point il se dévouait à la cause de son père, la sienne un petit peu tout de même, pour le bien général de tous. Puis il l'emmena au cinéma voir un film américain, où elle put vérifier qu'elle ne rêvait pas, car la même histoire de Prince charmant avait pris possession de l'écran. Elle était assez intelligente pour repérer les variantes, bien sûr. Il s'agissait cette fois d'un brave jeune homme qui se colletait avec le monde ténébreux des affaires, qu'il apprit vite à maîtriser après avoir encaissé les premiers coups, comme il eût dompté un étalon fougueux non sans essuyer quelques ruades. Plus les malheurs lui tombaient dessus, plus il prenait des forces, si bien que dans le dernier tiers du film on le vit reparaître au bras de la jolie blonde dont il n'avait pas compris assez tôt l'apport essentiel : c'était elle au fond qui l'avait toujours guidé et qui l'aiderait à sauver sa mise. Il s'en rendait compte enfin. Il l'épousait. Il prospérait… C'est du moins ce que le dénouement laissait entrevoir. María crut voir son propre destin se matérialiser sous ses yeux. Il était donc possible de s'en sortir, d'espérer un meilleur sort pour sa famille ou pour elle-même, et de vivre comme tous les autres, portés sur la main du bonheur. Tout ce temps il y avait José qui n'arrêtait pas de dire « Tu vois ! Tu vois ! » en croyant utile de lui planter son coude dans les côtes pour l'aider à déchiffrer correctement le sens du film.

Perdue dans son rêve, presque défaillante, il n'eut pas de mal à la conduire jusqu'à son appartement, même si elle ne s'était pas donné la peine de répondre affirmativement à son invitation. Elle avait regardé défiler les rues, les boutiques, les gratte-ciel sur l'horizon de son avenir, tout en marmonnant des sons qui pouvaient ressembler à des soupirs de satisfaction. María perdait pied, mais la sensation lui parut trop agréable pour désirer d'elle-même y mettre fin. José prit soin de ne pas la brusquer, il riait d'une manière délicate de ses propres blagues, il chantonnait des airs exquis afin de ne pas rompre le charme. Il voulut vérifier s'il était capable de la porter dans ses bras — Oh! il la porterait jusqu'à la fin des temps, elle ne pesait pas plus qu'un oiseau, «ou qu'un chat» dit-elle. Il la déposa sur le canapé et l'invita à s'y étendre pour apprécier les vagues de jouissance qui lui déferleraient dans le dos. C'était le dernier cri du confort américain que ces canapés pourvus d'un mécanisme pour massages! Il commença à la caresser, elle dit «Tu chatouilles.» Oui, c'est ça, il la chatouillait, parce que Duardo lui avait bien recommandé de prendre soin d'elle, «C'était presque une menace tu sais, mais je comprends qu'il tienne à toi. Tu es si...» Allait-il dire utile, ou douée, ou si belle? Il dit finalement «Tu es si femme.» Elle cessa de rire quand il reprit ses caresses, déjà reconnaissante de l'hommage qu'il venait de lui rendre et curieuse d'expérimenter son nouveau pouvoir de femme. Il retira soigneusement la petite culotte de soie bigarrée et se retint de rire pour ne pas la distraire en ce moment solennel. Le canapé s'activait pour elle, et le visage de María brillait d'une lumière sombre, la sueur sans doute, son front était si lisse, ses yeux si étonnés que tout cela griffait le cœur de José. Alors il la prit, après avoir relevé sa jupe sur son ventre, car ce mélange de chair et de coton l'excitait outre mesure. Il se plaignit comme un coyote, et quand il eut fini il eut le sentiment d'être enfin payé de retour. Il s'était emparé de la beauté de María et de l'avenir de Moreno, une bonne affaire en somme.

Pour elle, ce fut une chose terrible, ce contact qu'elle avait imaginé moins cru, moins terriblement mécanique, mais elle n'était pas la première à passer par là, elle apprendrait, cela comme tout le reste. Lorsqu'elle se releva pour visiter l'appartement de José, elle s'étonna tout de même qu'il ne l'eût pas invitée à partager le grand lit de la chambre. Puis il la reconduisit chez elle en étant à peu près gentil : vu l'heure tardive, son père s'inquiéterait, il fallait sauver les apparences puisque personne ne comprendrait le noble sentiment qui les habitait, « n'est-ce pas, mon petit amour ? » Il recommença le lendemain soir, puis le surlendemain, après l'obligatoire séance de cinéma, de sorte qu'il pouvait se vanter même en sa présence de lui former l'esprit et le corps.

Un autre soir María dit « Quelque chose de mauvais se prépare. La famille a besoin de moi, rentrons. » Ils eurent à peine le temps d'arriver à destination que la tornade se déclenchait, arrachant la poussière du sol pour la mélanger à son tourbillon, arrachant leurs toits brinquebalants à la moitié des maisons du quartier et promenant dans l'air une infinité d'objets hétéroclites qui menaçaient de vous pleuvoir dessus à tout moment. Duardo sortit de chez lui pour accueillir María et la prier de venir se mettre à l'abri. Mais tous trois étaient subjugués par la tempête de vent et ne bougeaient plus, forçant leurs oreilles à détecter toute la gamme des bruits depuis le grondement du vent jusqu'aux éclats aigus du verre qui se brise, obligeant leurs yeux à enregistrer le vol erratique des objets – les entrailles du bidonville – qui flottaient au-dessus d'eux, leurs tremblements, leurs écarts brusques comme s'ils étaient manipulés par une gigantesque main invisible.

Après quelques minutes d'observation patiente, Duardo toucha l'épaule de José et se mit à lui crier dans l'oreille sa théorie personnelle des tornades. Un vent continu, même très fort, ne serait pas si terrible. Ce sont plutôt les à-coups, les saccades qui rendent les tornades terrifiantes. À croire dans ces moments-là que le vent perd l'esprit, si l'on peut dire. Il souffle pour secouer, arracher, détruire ; regarde, il recule pour mieux sauter, il se couche pour mieux s'envoler. Il avait un sacré sang-froid, Moreno, et tandis qu'il hurlait ses théories José s'éloignait d'un pas pour sauver ses tympans. « Allez, on rentre ! » María refusait toujours de se mettre à l'abri, elle voulait comprendre pourquoi le monde était soudain à l'envers, pourquoi les choses lourdes ont l'air de planer facilement alors que ce qui est léger semble se précipiter vers le sol ; pourquoi le prix de la vie est mesuré à l'aune du service qu'on rend plutôt qu'à l'aune du désir ? Elle ajouta, les yeux au ciel, « Il doit bien y avoir aussi des rats qui volent ! » « Oui, fit Duardo en lançant un clin d'œil à José, mais on les nomme alors des écureuils ! » Le vent forcissait encore et il était dangereux de le défier plus longtemps. Comme ils entraient, le toit de tôle de la boutique s'éleva dans le vacarme et s'en alla coiffer la maison voisine. Duardo mit une main sur sa tête, l'autre sur sa bouche et commença à chialer que c'était toujours les mêmes qui payaient, qui perdaient, il n'y avait de justice que pour les riches !

María posa sur son père ses yeux d'Indienne, mais c'était pour l'accabler davantage. Oui, elle le trouvait un peu ridicule pour la première fois... En plus de plastronner, s'il savait se tenir debout, du moins devant des étrangers ! Elle lui fit observer que le vent ne choisissait pas ses victimes, puisqu'il ne s'agissait que du vent. On aurait mauvaise grâce d'en parler comme du bon Dieu lui-même. Ils couvrirent les machines à coudre de toiles afin de les préserver de l'eau qui tombait maintenant en trombe et s'entassèrent tous dans la cuisine avec les autres enfants et la femme Moreno. Ils attendirent que ça passe, presque en silence. Seul Duardo avait des sanglots de désespoir qu'il ne pouvait plus réprimer.

Dès que la tornade se fut apaisée, José promena sur les dommages un œil calculateur. Il réfléchit intensément, compta sur ses doigts puis il annonça qu'il ferait encore ça pour la famille : le lendemain matin on rebâtirait, un toit de tuiles cette fois, qui risquait moins de s'envoler à la première occasion. « Et puis ne me remerciez pas, il faut protéger notre capital, tout simplement. » Le José, il avait le sens des affaires, et du cœur à revendre, hein María ? fit remarquer Moreno. Il n'était pas comme ces enfants de punaise qui ne cherchent qu'à prendre leur revanche en s'attaquant d'abord à leurs proches, quand ce n'est pas à leurs propres enfants, qui vendraient leur mère pour trois pesos, hop là ! Non, le José avait de la dignité ! On refit donc le toit comme José avait promis, en belles tuiles rouges, et on consolida les murs pour tenir le toit.

Un mois plus tard la colónia se remettait mal du sinistre, sauf la boutique de Duardo qui ressemblait à une rose dans un dépotoir, et María qui se faisait lentement à l'idée d'être la maîtresse de José. Il ne voulait pas tout de suite lui donner les droits de l'épouse parce qu'il avait trop besoin d'elle à l'atelier. Imaginez un peu de quoi il aurait l'air si jamais elle prenait son rôle d'épousée au sérieux et le laissait tomber en plein élan de restructuration industrielle ! Pour le reste María était une petite femme vaillante qui s'habillait toujours comme une reine et avait si vite maîtrisé l'art d'animer le lit qu'elle mettait José à genoux et l'amenait à la supplier d'en garder pour la prochaine fois. Pourtant elle ne l'aimait pas. Elle se contentait de jouer à l'amour comme elle travaillait à la boutique, avec une application et un dévouement sans borne. Mais jamais il ne put surprendre dans son regard de chat la moindre faille, le moindre désabusement. L'automne se passa au rythme de la croissance folle de la boutique Moreno. Plus les affaires s'emballaient, plus María avait d'énergie : elle volait littéralement, l'enfileuse, elle se posait partout pour donner un conseil ici, pour exécuter elle-même le passage difficile dans le travail d'une autre, bref elle avait pris, mine de rien, la direction de l'atelier sous le regard ébahi de Duardo, qui se frottait les mains d'aise.

À partir de décembre, les commandes affluant, on manqua de personnel et José en embaucha ; on manqua de machines et de tissus, José s'en occupa, moyennant toujours une plus grande part de l'entreprise ; on manqua d'espace, José y pourvut en réaménageant dans des locaux spacieux et plus proches du centre-ville, du côté de San Miguel Ajusco. « Bon, bon, d'accord ! Mais pourquoi déménager si loin ? Et qu'est-ce qu'on va faire de la vieille boutique ? » Duardo fut prié de rester chez lui, où il pourrait mettre à l'épreuve le vieux concept de la concurrence ! Il ne possédait d'ailleurs plus que vingt-cinq pour cent de son entreprise, il était trop minoritaire pour même avoir droit de vote. C'était la loi des affaires.

Il fit tempête dans l'esprit de Duardo Moreno comme jamais auparavant. Il voulut d'abord tuer, puisque seul le meurtre de José pouvait venger l'injustice dont il se sentait victime, mais sa femme lui fit comprendre que ce n'était pas nouveau : avec son sens inné des affaires, il s'était seulement fait rouler une fois de plus. Et qu'attendait-il pour aller chercher sa fille, qui n'avait rien compris dans la tourmente ? Elle avait choisi le progrès, l'avenir, disait-elle, et rien ne la ferait renoncer. Ah ! celle-là ! Elle avait bien changé. Elle les lâchait, la femme Moreno en avait la certitude. Depuis qu'elle s'était frottée au grand monde, qu'elle por-

tait des robes au-dessus de sa condition, mademoiselle voyait grand mais pour elle-même. «Et je ne
serais pas surprise qu'elle ait tout manigancé avec
le José! Qu'est-ce que tu en dis, Duardo?» Duardo
n'en savait trop rien, mais il eut envie de faire sauter du même coup et leur nid d'amour et leur sale
boutique. Il imaginait le feu d'artifice que ce serait,
le spectacle des tissus éparpillés dans l'air et retombant comme une manne sur San Miguel Ajusco,
une façon de redistribuer les biens au peuple. Cela
surtout. Et il attendrait la descente de José le même
dimanche, il voyait comme je vous vois les parties
de son corps dispersées dans le ciel, retombant
plus lentement que les autres débris, parce qu'elles
seraient portées par de petits parachutes de tissu
multicolore, et elles viendraient se poser dans les
arrière-cours comme des pièces de viande mon-
tées pour saluer l'arrivée d'un nouveau boucher.
Cette dernière image lui causait tant de joie qu'elle
lui donnait l'envie d'épargner sa fille. «Fais un
homme de toi, va au moins chercher ta fille!»
insistait la femme qui ne prenait pas ses visions
au sérieux. Elle verrait bien, la femme!

Mais le temps passait parce que Duardo raffi-
nait sa bombe imaginaire sans parvenir à résoudre
le problème des parachutes, pendant que José con-
solidait son entreprise en même temps qu'il tirait
le meilleur parti de María. Cette dernière mit aussi
trop de temps à comprendre que José ne tenait pas
vraiment à elle. Il ne rentrait pas toujours la nuit
et, dans la manufacture, il passait son temps à la
changer de place, prétextant qu'elle serait ainsi

plus à son aise. Elle voyait bien qu'il la déplaçait toujours en la rapprochant de la porte. De plus, contrairement à leurs débuts triomphants, chaque fois qu'elle suggérait un nouveau modèle il rechignait en disant que ce n'était pas une si bonne idée, « Tu sais, le client seul a raison, même contre toi ! » « Et le client, c'est toi ? » demanda-t-elle, mais il ne répondit pas. Le soir même il rentra à demi soûl en braillant des chansons paillardes dont il n'entonnait que les refrains. Elle s'approcha pour l'embrasser comme elle faisait toujours, mais le repoussa aussitôt en criant « Tu sens la femme ! » Il se mit à rire, à rire. Il fallait qu'il lui en conte une bonne, imagine-toi, la grosse Nitá qui a des fesses larges comme ça, eh bien ! elle avait tout fait pour le séduire, elle voulait coucher avec lui, elle croyait peut-être que ça lui donnerait de l'avancement ! « Et tu l'as fait, idiot ? » Non, ce n'était pas ce qu'elle croyait, il n'aurait pas dû lui dire, ah ! et puis mademoiselle voulait tout savoir, alors voilà : s'il l'avait trompée avec la grosse Nitá, c'était seulement pour habituer María à l'idée du partage, car il n'avait tiré aucun plaisir de son aventure. María devait apprendre à partager, on formait une grande famille après tout. Et puis si elle n'était pas contente elle savait où était la porte. Ce serait bien dommage puisqu'il avait de grands projets pour elle.

Quelques jours plus tard il invitait en grandes pompes l'un de ses amis de San Miguel nommé Narciso, un intime à qui il ne refusait rien, son demi-frère, laissait-il entendre. « Quand Narciso parle je n'ai plus qu'à me taire, dit José, puisque je reconnais mes propres pensées sur ses lèvres.» «Tiens donc! fit María, il a été parti en voyage longtemps puisque c'est la première fois qu'on le voit.» «C'est en plein ça, hein Narciso? dit José. Tu étais chez les Gringos!» «Oui oui, dit-il, je voyageais pour le boulot.» José ajouta que Narciso lui avait proposé une automobile, si tu voyais l'automobile, à un prix d'aubaine vraiment, mais entre amis on se consent des faveurs.

Dans l'esprit de María les événements se bousculaient. Elle avait pris goût à un certain luxe et l'idée de la voiture neuve l'excitait sans bon sens. Elle s'y voyait déjà nonchalamment assise, à passer et repasser dans les rues de México sous l'œil envieux des femmes de chambre et des badauds. Et il faut ajouter que la venue chez elle d'un type nommé Narciso, qui semblait tout droit sorti d'un film, chez qui pas un poil ne dépassait, qui avait le nez droit, des yeux noirs profonds, qui portait la cravate sous un veston de toile écrue de bon goût, bref la vue de ce chic jeune homme la mettait dans tous ses états, et quand elle reportait les yeux sur José elle ne manquait pas de se trouver légèrement flouée. Celui-là portait des lunettes, son nez n'était pas tout à fait perpendiculaire à sa bouche, et puis il a une façon de regarder par en dessous qui vous glace. Tandis que Narciso l'avait mise tout de suite en confiance, il était beau comme les sculptures des jardins publics, il respirait l'honnêteté, et quand il levait les yeux sur vous, le bonheur jaillissait de son sourire comme l'eau de la

fontaine. À peine avaient-ils entamé le dessert que
José s'éclipsa en prétextant un rendez-vous d'affaires. Il leur souhaita une agréable soirée, il ne fallait pas l'attendre, il rentrerait très tard, ou peut-être
pas du tout s'il finissait par tomber au front,
comme il lui arrivait souvent, « le front des affaires,
bien sûr ! »

María connut cette nuit-là quelque chose d'analogue à l'image qu'elle se faisait de l'amour. Une
douceur appuyée, un enchantement des sens, un
vertige qui entraînait son esprit à longuement planer au-dessus du monde, un peu comme la tornade avait promené dans le ciel de la colónia les
maisons folles, et dissipé sur la place publique
leurs secrets les plus intimes. Après l'amour elle se
regarda dans la glace, nue, étonnée de voir apparaître, à la place de la gamine affamée aux hanches coupantes, une jeune fille déjà bien en chair,
les seins ronds, la figure pleine. Elle se trouva belle
avec raison, eut envie d'avoir de la gratitude pour
José qui en était sans doute responsable : il l'avait
nourrie, il avait une façon bien à lui de prendre
soin d'elle, « comme on veille sur un bien. » Il était
d'ailleurs d'une discrétion, le José ! Il ne revint en
effet que le lendemain matin, tandis que Narciso
traînait toujours dans la chambre, qu'il ne semblait
plus vouloir quitter. José eut la délicatesse de sonner avant d'ouvrir la porte et María le reçut en
rougissant.

À la manufacture il lui fit comprendre l'après-
midi même que son travail n'était plus aussi
essentiel. Elle pourrait désormais prendre du bon

temps, les affaires allaient si bien! Il lui présenta Mercedes. «C'est une nouvelle?» Oui, elle aurait maintenant de la compétition. Et de fil en aiguille il établit un nouveau portrait de l'entreprise, dans lequel l'imagination de María rivalisait mal avec certaines compétences éprouvées en design, la clé du développement futur. Mercedes aurait la responsabilité de tous les modèles de chemises, y compris les modèles pour enfants, on était bien d'accord? De toute façon María avait les mains trop douces et trop fragiles pour se les abîmer dans des tâches serviles. Elle était née pour être reine! «Tiens donc!» dit encore María, «Il me semble avoir déjà entendu ça.» Et cette même semaine José prêta María à trois amis différents, qui n'avaient pas la moitié du panache de Narciso. Celui-là était reparti en voyage, par obligation. Et José traita María d'enfileuse, oh gentiment! mais dans sa bouche le surnom avait l'allure d'une insulte. Elle le lui dit. Et rien ne fut plus comme avant. Elle aurait juré qu'il n'osait même plus la toucher, ce qui lui prouvait bien qu'il avait son compte ailleurs. «C'est parce que je te respecte», dit-il.

C'est le moment que choisit Duardo pour refaire surface. Il n'avait pas vraiment résolu les problèmes que lui posait la fabrication de sa bombe imaginaire mais, le sentiment de sa lâcheté croissant avec son retard à intervenir, il décida de frapper un grand coup. Il prit le car tôt ce matin-là et débarqua à San Miguel Ajusco vers les onze heures, pour demander aussitôt où se trouvait la manufacture d'un certain José, tripoteur de filles et voleur de grand chemin. On lui indiqua tout de suite une drôle de bâtisse, en fait un ancien poste de pompier que le nouveau propriétaire avait transformé en manufacture. Duardo sonna à la porte, sonna encore. On le fit pénétrer enfin dans le vestibule, en face du bureau du patron, où il dut patienter pendant une heure, ruminant son amertume, révisant cent fois la scène de Duardo étranglant José : d'abord lui sauter à la gorge et serrer des deux mains jusqu'à ce que la langue lui pende entre les dents, ensuite seulement lui murmurer sa haine à l'oreille ; ou peut-être dire d'abord ce qu'il avait sur le cœur, s'approcher sans trop éveiller ses soupçons et l'étrangler d'un coup ; ou peut-être se contenter de lui casser les deux bras et rire en le voyant incapable de s'emparer du téléphone pour appeler du secours. Il avait si bien mariné dans son attente que, lorsque José ouvrit la porte d'un coup sec et apparut, Duardo se contenta de rougir, comme pris en flagrant délit de désir de meurtre. « Tu voulais me voir ? Je n'ai pas beaucoup de temps, mais… » Alors Duardo finit de désamorcer sa bombe en avouant qu'il avait souhaité le tuer. « Il y a un malentendu, dit José, je t'ai laissé tes premières machines à coudre et l'atelier, tu pouvais repartir en affaires de plus belle ! » « Je viens reprendre ma fille, dit Duardo la gorge nouée. Tu n'as pas respecté le contrat. » José éclata de rire. « Mais je n'ai jamais cru qu'elle faisait partie du contrat ! » lança-t-il.

C'était le nœud du problème : Moreno avait toujours pensé que María faisait l'objet d'une clause tacite, ou du moins qu'elle constituait comme un sceau légal qui assurait la pérennité de leur entente ; de son côté José n'avait fait que lire ces desseins secrets, car s'il avait désiré mettre la patte sur María, c'était aussi comme preuve tangible de la volonté de son père de se commettre. Mais ni l'un ni l'autre ne pouvait l'avouer. José prit pourtant de longs détours pour faire admettre à l'autre qu'il n'avait reculé devant rien pour tirer son épingle du jeu, est-ce qu'il n'irait pas jusqu'à faire le trafic de ses propres enfants... « Quel trafic ? » demanda Moreno. « Par exemple... vendre María au plus offrant ? » en quoi il était indigne d'être un père ! Il insinua même qu'elle n'était pas vierge à son arrivée, il ne serait pas étonné que son père y fût pour quelque chose. Ah non ! là le petit monsieur y allait trop fort, Duardo Moreno allait l'étrangler pour de bon s'il ajoutait un mot. Il n'aurait pas touché à son enfant pour une terre, pour la ville de México au grand complet ! Il ne mangeait pas de ce pain-là ! D'accord d'accord ! il n'était pas ce genre d'homme, José en convenait, mais... Et il asséna à Duardo un terrible coup, qui fit l'effet d'un coup de poing, quand il lui déclara que s'il n'avait pas abusé d'elle, il avait du moins caressé l'intention de la lui vendre... ce qui est pire encore, et un second coup qui mit l'autre K.O. lorsque José ajouta qu'il n'était plus acheteur, Moreno pouvait bien reprendre sa fille puisqu'il n'avait plus besoin de ses services... mais il doutait fort que María soit intéressée à rentrer avec lui, elle tenait trop à sa liberté, et puis d'ailleurs elle le faisait vivre en lui envoyant chaque mois la moitié de l'argent qu'elle gagnait, n'est-ce pas ?

Duardo mit de longues minutes à rassembler ses esprits dispersés sur l'aile d'une tornade intérieure. Puis il se leva et sortit sans même songer à embrasser sa fille.

Promenade

Contrairement à Marie Agnelle, María n'a que deux ventres : celui qui digère, et l'instrument qui lui permet de gagner sa vie. Quand elle comprend que son deuxième ventre est devenu une machine au bénéfice de José, elle le quitte et se lance à son compte. Elle peut dorénavant se passer de lui. Elle constate qu'en se rapprochant du centre-ville les tarifs sont meilleurs, il lui suffit de travailler à mi-temps pour subvenir aux besoins criants de la famille de son père et assurer son propre bien-être. María se considère cependant comme une bien petite pute en compagnie des grands de ce monde, et elle continue de rêver. Les compromis qu'elle doit faire sont minimes, croit-elle, en comparaison des leurs, et un jour elle s'en sortira pour vivre enfin à deux, dans un luxe écœurant, le grand amour.

« Je ne donne pas cher de sa peau ! déclare le douanier qui me suit comme mon ombre. Et j'aurais souhaité qu'elle s'en sortît uniquement par son talent de couturière!» Tiens donc! il parle bien le douanier, car il est convaincu que seul son propre talent d'éventreur de valises lui a permis de vivre à l'aise. Il poursuit en affirmant que ce Duardo Moreno est un bien triste sire, qui ferme les yeux sur le métier que pratique sa fille par pure lâcheté sans doute; n'importe quoi pourvu que les apparences de la morale soient sauves; il parie que si on tentait de l'accabler de reproches, Duardo se défendrait en invoquant l'amour probable de José pour María, ou le désir d'assurer à sa fille une vie moins misérable que la sienne en la casant de manière précoce mais éclairée, n'importe quoi au fait, la peur de la contrarier sans doute, puisque c'était aussi la façon la plus sûre de la perdre. «Un petit magouilleur que ce Duardo!» conclut-il, car il demeure convaincu que le président du pays qui «donne sa fille» à un banquier a beaucoup plus de panache. «Et votre María, fait-il, son destin ne me semble pas vraiment achevé?»

María proposa en effet à son père de relancer l'atelier, de se remettre en affaires, et il répondit qu'il allait y songer. Il ajouta «Mais y as-tu songé, sans toi?» Duardo ne croyait guère à son succès économique personnel. S'il pouvait philosopher sur les tornades au milieu de la ruelle de la colónia, au risque d'être emporté, c'est qu'il avait déjà intériorisé la catastrophe: en ce sens toute tornade, même celle qui menaçait de l'anéantir, ne constituait plus un événement. À force de voir ses rêves brisés, il s'était mis à vivre dans un enthousiasme fébrile mais feint, sachant d'avance que tout cela ne servirait à rien et qu'il finirait tôt ou tard par être emporté. D'ici là toutefois il tenait à donner le change, il faisait du théâtre, il glissait souvent sur son visage un masque de clown qui, en dehors de l'atelier, laissait entendre qu'il était au-dessus de ses affaires. Il avait lu quelque part qu'un homme ne peut vivre sans espoir.

On pourrait imaginer les choses tout autrement : si Duardo n'avait pas possédé un atelier de couture, si María n'avait pas été l'enfileuse de talent que l'on sait, Duardo aurait-il endossé le désir de José et consenti à livrer María dans le but honorable de nourrir le reste de sa famille ? Il est légitime d'en douter, car il était surtout séduit par le coup double : assurer son avenir sans directement handicaper celui de sa fille. Songez au destin sacrifié des sœurs aînées dans la plupart des grandes familles : ce n'était certes pas dans l'intention de leur nuire qu'on leur accrochait au train la suite des naissances !

María le sentit bien ce rôle, elle ne chercha pas à se désister, bien au contraire. Mais elle souhaitait vivre pour elle-même un peu, vivre en quelque sorte son propre destin comme à temps perdu, dans quelques échappées au hasard de sa route. Cette absence d'ambition personnelle contribua à la pousser vers le rêve, où elle rencontra José. Il n'avait pourtant rien d'un séducteur, mais le rêve de María redessina son visage. Lorsqu'il parlait, on aurait dit le tonnerre qui roulait dans le ciel, María crut qu'il choisissait par exprès les mots forts pour faire tonner l'« r » sur sa langue. Il était si sûr de lui que même les choses et les événements semblaient lui obéir. Elle n'osait l'interrompre de peur de briser son élan, que tout ne se mît à lui dégringoler sur la tête. C'est fou comme il avait prise sur le monde ! Elle l'admirait pour cela même, et si elle avait pu en faire autant elle se serait sentie libre de tout, y compris de lui !

Comment dire à mon douanier que le sort humain n'a pas la simplicité qu'il imagine ? Quand María Moreno rencontre José, elle ne sait pas qu'elle est sacrifiée par son père. C'est donc librement, contre son père pense-t-elle, qu'elle exerce son privilège de jeune fille de choisir son amant. Et de toute manière la voie est bouchée pour elle, sauf dans les bras de José où elle conserve peut-être la moitié d'une chance. Les choses se compliquent quand elle croit revivre le conte de fée qu'elle a vu cent fois à la télé, comme Marie Agnelle ou comme Mary Jones, le conte qu'elle a cru lire sur toutes les lèvres : quelqu'un viendra, qui lui fera franchir d'un seul bond l'espace infini qui sépare sa colónia de la capitale. José est celui-là – il en a les moyens, son portefeuille danse sur sa fesse à chacun de ses pas, il a du flair politique et une grande force de caractère – bien qu'il ne réponde pas à son désir de jeune fille. Elle a beau être naïve, elle sait déjà que le désir est capricieux, qu'il menace de la laisser sur le carreau à la première aventure. María troque donc son désir contre sa sécurité, en quoi elle ressemble en tout point à son père. Si l'on ajoute le souhait que formulent beaucoup de jeunes filles non pas de refaire le monde mais d'être l'exception, soit d'échapper aux conditions ordinaires du monde, on comprendra que María prétende être celle qui se sauvera contre toutes les lois de la probabilité. Il m'arrive de penser comme elle, de croire que les robots ont remplacé le Prince et que nous serons sauvés par eux, parce qu'il ne peut pas en être autrement ; parce que je ne peux pas admettre ma propre mort, encore moins la mort de la civilisation. Les robots nous sauveront donc parce que, les films le disent, ils sont devenus plus intelligents et même plus sensibles que nous. « Tiens donc ! » dit María.

Bien sûr María aurait pu déclarer « Ces histoires à l'eau de rose sont en train d'envahir le monde, et de l'affadir. Au fond elles nous invitent à rêver en nous signifiant que le rêve est tout ce qui nous reste ! Et qu'on ne peut rien contre ce rêve-là. Ou bien elles nous assurent qu'il n'y a plus de drame mais seulement des accidents de parcours ; plus de misère mais seulement des enfants tombés provisoirement du landau ; plus de désert affectif mais seulement des cœurs en attente de la rencontre vertigineuse. » María aurait pu penser ainsi mais elle n'en avait pas les moyens. Elle aurait pu continuer en supposant que les États-Uniens provoqueront ainsi à terme, chez tous les autres peuples, le désir de les envahir, puisqu'ils laissent entendre à tout venant qu'ils ont trouvé la clé du Paradis.

Au lieu de cela, quand son histoire avec José tourne mal, María comprend qu'elle a été dupée et elle décide de survivre : de proche en proche elle conquiert le monde jusqu'au centre-ville de México, où les prix de la passe en valent la chandelle.

Quelque temps après, elle rêve pourtant d'aller voir du côté du Paradis, on ne sait jamais, elle pourrait peut-être gagner sa vie sans avoir recours à son deuxième ventre, pour ses talents de couturière par exemple, ou pour sa beauté tout simplement, à Hollywood. Elle apprend l'anglais comme une forcenée, cinq heures par jour, il ne lui reste plus qu'à polir l'accent, ce foutu « r » américain qu'elle doit rouler sur le milieu de sa langue comme une pâte! L'un de ses clients du Nord, un homme ce qu'il y a de plus correct, l'assure que là-bas tout est possible. Elle prend la décision de s'y rendre. Elle est refoulée à la frontière, ou plutôt à la frontière intérieure, aux douanes de Los Angeles. À la vue de sa jupe trop courte, de son allure légèrement perverse, avec son fard à joue excessif, sa poudre qui trahit une vague intention de se blanchir, le douanier lui prête des intentions louches et la refoule: elle est indigne d'entrer en Amérique. « Non mais sans blague! proteste-t-elle, j'habite déjà en Amérique!» Elle a envie de leur crier des injures, de leur dire qu'ils ont usurpé à leur seul usage le nom d'Américains, comme des prétentieux. Elle choisit plutôt de ne pas en faire un drame, retourne à México dans son luxe sommaire, aide son père à relancer l'atelier de couture. Tout ce qui manquait, c'étaient les capitaux, non?

Et enfin, comme elle était en mesure de se payer le voyage, María Moreno fit ses bagages un

soir de pleine lune et s'envola sur les ailes de
Varig à destination de Rio, où il y a une vraie fête,
celle des vivants à fleur de peau, celle des enfants
magiques : le Carnaval. Elle descendrait à Copacabana. En vacances pour la première fois de sa vie,
et sans ventre sauf celui qui digère, elle se sentirait
comme une reine.

Tableau VII

Le sang

Voici venu le temps des Anges.

Maria Cristobal est l'un des trente millions d'enfants abandonnés aux rues des villes brésiliennes. Elle appartient à un peuple plus nombreux que celui du Canada entier. Elle compte mais elle ne le sait pas.

À Rio, elle était à la fois la mère le père le chef l'infirmière et le prêtre de sa bande. Aucun détail ne lui échappait dans l'organisation de la survie : elle en gérait la logistique générale et les plans de campagne. Maria couvait sous son aile Joaquim, Popeí, Esmeralda et Eurice. De cette manière ils survivaient et avaient même parfois l'impression de s'offrir du luxe, oh un luxe bien dérisoire quand, après leur repas sur le pouce, ils achetaient ces petites bouchées, fruits confits, amandes, saucisses, que vendent les marchands ambulants sur les trottoirs, ou plus rarement une glace. Il fallait alors marcher vite, avant que ne fondent les deux glaces qu'ils destinaient à Esmeralda et Eurice, trop petites pour pratiquer le métier de la bande et qui les attendaient dans l'ombre.

Ce jour-là le carnaval vibrait déjà dans tous les esprits, à une semaine du déclenchement de la fête. Mais Maria gardait la tête froide même si elle se livrait au rythme de la samba de temps à autre, modifiant à peine le cours de sa marche. Des mélodies qui rappelaient le carnaval de l'année dernière flottaient dans l'air et son corps entrait en mouvement malgré elle. Elle s'arrachait tout à coup au trottoir de l'avenue Atlántica, s'envolait littéralement, faisait un petit salut à la mer et reprenait doucement sa route, suivie de Joaquim et Popeí. Le premier s'appelle Joaquim comme le père de la vierge Marie, parce que ce nom confère à qui le porte une sorte d'antériorité mythique à défaut d'avoir une famille réelle ; l'autre s'appelle Popeí simplement parce qu'en dépit de sa petite taille il aime croire qu'il a de gros bras : ça donne du courage. Maria avait laissé Eurice et Esmeralda en sécurité, dans leur repaire. On avait ainsi nommé la première, un diminutif d'Eurydice, pour saluer son entrée dans le monde sans doute, la seconde avait été nommée par Maria elle-même pour signaler qu'elle valait à ses yeux bien plus qu'une pierre précieuse.

Devant la terrasse du Café do Mar, Maria Cristobal ralentit l'allure, avisa un client qui lui plaisait et s'immobilisa. Joaquim et Popeí, qui avaient suivi son regard, en firent autant d'un seul et même mouvement rythmique. Le client lui plaisait parce qu'il avait l'allure débonnaire d'un pigeon à piéger, le veston froissé bourré de poches agrandies par le passage de la main, le pantalon à l'avenant. Et la pimbêche blondasse, assise à sa droite, qui lui tenait lieu de femme, était déjà tellement plongée dans l'extase de Rio qu'elle ne voyait rien et ne prenait même plus la peine de répondre aux observations de Buffalo Bill. C'est ainsi que Maria désignait le mari. Car ils étaient mari et femme, ça, elle l'aurait juré à leur façon de se tourner le dos même quand ils étaient côte à côte, et de balayer les mêmes espaces de leurs deux regards parallèles sans obéir à aucun signal. Maria doutait qu'ils aient un enfant, juste à voir à quel point ils étaient massifs et clôturés dans leur propre corps. C'étaient des tours qui oscillaient à peine au vent. La grande blonde sortait visiblement d'un régime minceur qui n'avait qu'à demi réussi, car elle accentuait le creux de ses joues en les aspirant de l'intérieur, mais elle salivait rien qu'à lire le menu. Maria Cristobal renvoya Joaquim et Popeí d'un minime battement de l'index, puis elle se tourna franchement vers Buffalo Bill et lui tapa un clin d'œil discret. Il n'en demandait pas tant. Il s'anima sous le choc tout en feignant ne pas l'avoir aperçue. Il devait raconter un souvenir d'enfance, ou quelque chose comme ça, tant le débit de ses paroles s'accéléra soudain, et le sourire rayait sa figure, il dégoisait son souvenir sans quitter Maria des yeux. Il parlait pour une seule mais il rayonnait pour deux : pour sa femme, qui eut l'air ébahi de son attaque de volubilité, et pour Maria.

Même si ce n'était pas là son métier, celle-ci eut
terriblement envie de le séduire, juste pour le voir
s'effondrer devant sa femme ; qu'il tire la langue,
qu'il louche, qu'il ait des palpitations au cœur et
aux oreilles, qu'il se retire aux toilettes, et qu'il en
revienne en la cherchant avec l'angoisse de ses
yeux ; qu'il se querelle avec la blondasse et que
Maria recueille les retombées de l'explosion. Elle
eut envie de le punir d'être si gras et si satisfait de
lui-même.

Elle s'assoit, dégage son genou lisse, croise la
jambe sur sa peau brune, sous la jupe gitane. Nul
besoin de bas. Sa jambe plus douce que les bas.
Elle porte des sandales qu'elle enlève pour courir :
ça se voit à l'épaisseur de la corne sous le pied qui
a laissé choir la sandale. Son profil sombre se
découpe sur le bleu de l'horizon. Elle ressemble à
une pièce montée un jour de mariage ! À ce qu'on
mange seulement par gourmandise, quand on n'a
plus faim. À du soleil concentré. Et Buffalo tire
la langue, croise sa jambe, ne parle plus. Il se demande pourquoi on rencontre de tels miracles de
beauté seulement dans les pays qui ont faim. S'il
l'apercevait dans une rue de New York il l'enlève-
rait.

Il se tortillait sur sa chaise en invoquant la trop
grande chaleur – en fait c'était pour avoir une vue
plongeante sur la cuisse de Maria, qui s'amusait à
croiser et décroiser les jambes. Il songea de nouveau que cette contradiction défiait le bon sens :
pourquoi c'était un pays pauvre qui produisait les
plus belles fleurs ? « Tu as vu les fleurs ? » Blonde

répondit, «Elles sont en plastique.» Buffalo: «C'est que tu as mal regardé.» Il en voyait une dont les cheveux noirs frisés lui chatouillaient le cœur. Il voyait l'artichaut le plus doux qu'il eût jamais contemplé. Après vérification de quelques-uns des bouquets accrochés au treillis du pare-soleil, Blonde dut faire amende honorable, «Incroyable tout de même, elles sont vraies!»

Maria Cristobal dit au garçon qu'elle voulait bien accepter la consommation que monsieur lui offrait. Le garçon dit «Non non! ça ne prend pas avec moi.» «Si, je t'assure, il m'a fait signe. Buffalo, là-bas!» «D'abord tu es trop jeune!» «Faux. Demande à Buffalo.» Elle allait ajouter «Ou à Blonde» mais elle se ravisa, car Blonde n'était pas dans le coup. Le garçon s'approcha poliment, en branlant du chef, exposa discrètement le problème au monsieur américain. Buffalo rougit d'abord en disant «Non non» puis il changea d'avis subitement, «Bien sûr, pourquoi pas?» Maria n'eut droit qu'à du vin coupé d'eau, mais lorsqu'elle vit Blonde se tourner vers elle, elle sut qu'elle avait gagné. «Qu'est-ce qui t'arrive? Tu offres maintenant un verre aux prostituées?» «Ce n'est pas une prostituée, c'est une enfant!» Blonde se retourna de nouveau, examina attentivement Maria qui avait baissé sa jupe et se tenait le corps raide, puis elle se détourna et s'intéressa à autre chose. «Tu as vu, c'était bien une enfant!» dit le mari pour se justifier un peu plus tard, mais elle n'y fit plus attention. Deux minutes passèrent. Elle dit «Ça ne l'empêche pas d'être une prostituée!» Quand

Maria reposa les yeux sur eux, le ton avait monté,
elle percevait des bribes de conversation acidulées.
«Quelle est cette habitude de condamner sans connaître?» «Mais ça se voit!» «Veux-tu que j'aille
vérifier?» «Imbécile!» «Mais tu me provoques, je te
fais remarquer que tu me provoques!» «C'est moi
qui le provoque maintenant!» «Avoue que tu te
conduis comme une Américaine en voyage, que
tu es barricadée dans tes certitudes.» «Tu crois
peut-être que la petite, là-bas, fait partie du décor et
que tu l'as achetée en payant l'hôtel?»

Ils en vinrent aux mots pendant que Maria siro-
tait son verre. Blonde lança sèchement «Je préfère
rentrer à l'hôtel.» C'est dire si elle tient à lui! pensa
Maria. Ils se levèrent de table et se dirigèrent vers
le Copacabana Palace, à deux pas de là. Maria Cristobal savait qu'il reviendrait. Il revint effectivement
aussitôt, à peine le temps d'aller conduire sa
femme jusqu'à la porte de l'hôtel et de revenir en
accéléré. Il s'assit à la même table, leva les yeux,
mais Maria n'était plus là. Elle l'avait bien eu: il
pensait qu'elle aimait faire joujou avec les touristes
alors qu'elle voulait seulement tester ses charmes
et le punir de ne pas aimer sa Blonde. Quant à
Buffalo, il rêva pendant deux heures, les yeux perdus dans le vague, refusant tout substitut à son
apparition, blanc de désir. Ce soir-là il poussa la
porte de sa chambre en grognant. Lui qui n'avait
pas l'habitude de boire et n'avait jamais osé transgresser aucune loi de son pays, voilà qu'il était
rond comme un œuf! Sa femme lui dit qu'il perdait les pédales, il souffrait peut-être d'un virus

inconnu, après tout! Mais non, il ne s'agissait pas
de cela, il se sentait bien, mais il avait subi un
choc, il était secoué au point qu'il n'avait plus
qu'une envie : ouvrir les vannes. Et il se mit à
pleurer sur l'épaule de sa femme. Elle avait beau
nommer ça comme elle voulait, il prétendait avoir
entrevu la porte du Paradis perdu. Cela lui rappelait étrangement sa première partie de pêche,
quand il était gamin. Son cœur avait palpité tout
l'après-midi dans la frénésie de l'espoir, s'était
affolé quand la ligne avait vibré dans les profondeurs et s'était brisé net au moment où il avait vu
sa truite retomber à l'eau. «Tu n'as pêché que des
larmes?» avait demandé sa mère en voyant sa
figure ravagée.

Deux jours passèrent, «Dos dias», il avait appris
à compter jusqu'à dix en portugais et il se remettait
tant bien que mal de sa crise. Pour le consoler sa
femme l'emmena voir le spectacle de Plataforma 1,
une boîte qui rivalisait d'imagination et de plumes
avec les Folies bergères. Buffalo y bâilla comme un
rustre et finit par s'endormir. Dès qu'arriva l'entracte
ils prirent un taxi jusqu'à l'hôtel : ils avaient été
prévenus que les rues sont peu sûres après 21 heures. «Tu tiens à te faire voler?» Bien sûr que non,
mais il était attiré par la vie réelle, il en avait marre
de tous ces trucs pour touristes, est-ce qu'il avait
l'air d'une poire intégrale en fin de compte? Tout ça
n'avait rien à voir avec le Brésil. Il l'avait trop bien
senti pour revenir en arrière.

Le lendemain ils mangeaient à la terrasse du
café voisin, pour varier le menu et les chances.

Son assiette à lui débordait, sur les trois-quarts du pourtour, d'un steak saignant, de quoi nourrir une famille. Il avait protesté mais le garçon lui avait dit que c'était ainsi au Brésil, s'il payait c'est qu'il voulait manger, et puis son bœuf était du meilleur puisqu'il arrivait directement des plaines de Rio Grande do Sul. Alors voilà ! qu'il se la ferme, on ne lui demande pas l'heure, et qu'il mange ! Sa femme poussa à son tour de petits cris qui ressemblaient à des rires scandalisés. « Et tout ça pour un prix dérisoire ! » Buffalo commença à couper son steak en ayant l'air de méditer, parce qu'il tentait de jauger la part de nourriture qui lui serait utile, et il proposa tout de go la moitié de son plat à sa femme.

C'est alors que Maria fit sa seconde apparition, mais elle se plaça de manière à n'être vue que de la femme, tout en contemplant l'assiette de monsieur. Blonde avalait de travers, elle avait de l'appétit mais elle était distraite, car elle avait la désagréable sensation que des oiseaux tournoyaient autour d'elle. Elle jeta un regard du côté de la porte du restaurant mais comme les mâchoires de son mari semblaient déjà prises de jouissance elle renonça à l'idée de s'y réfugier. Elle s'étouffa. « Tu es nerveuse ? » demanda-t-il, « tu devrais pourtant commencer à te sentir reposée, ça fait plusieurs jours de vacances déjà. » Il la trouva ridicule, mais il dit seulement qu'elle pourrait songer à changer de travail, celui de fonctionnaire ne lui réussissait pas. « Et le tien, de juge à Brooklyn, te rajeunit peut-être ? » Ils n'allaient pas recommencer à se chicaner !

Maria hochait la tête et regardait tout avec des yeux qui dévorent. Le luxe, c'est-à-dire la vie normale. Cette sacrée avenue Atlántica lui était une torture, à cause des odeurs surtout. Le parfum des dames, bien sûr, celui des fleurs aux bras des fleuristes, la brise de la mer, tout cela excitait sa sensualité mais elle y avait accès, elle n'avait qu'à se trouver là et à respirer. Tandis que pour les odeurs de cuisine, c'était autre chose. La tête lui tournait, elle se sentait faible, elle avait des picotements dans le ventre, c'est pourquoi elle devait s'asseoir aux terrasses. Elle reniflait les arômes des potages sur les tables voisines, le fumet des biftecks cuits dans le graillon, celui de la frite, les desserts dont l'odeur se libère chichement, et encore à condition qu'on se trouve sous le vent. Tous ces effluves en se mélangeant lui composaient une musique. En prélude, elle jouait du melon et de la glace, pour étancher sa soif; puis elle s'attaquait aux plats de résistance de tous les menus à la fois, ils s'étalaient tous là devant elle, elle mangeait par cœur une bouchée de steak, une bouchée de crevette, une bouchée de veau, comme dans une *churrascaria*, comparant les tons et les couleurs en contrepoint; elle avait fait si souvent l'exercice qu'elle en arrivait à jouir de l'harmonie des plats sans avoir besoin de manger; puis les desserts surgissaient, portés sur la main légère d'un serveur indifférent, et c'était comme le point d'orgue d'un concerto culinaire. Elle baissa les yeux vers le trottoir et imagina ce qu'aurait pu être sa vie si elle était née par exemple dans les bras de Blonde.

Elle admirait toujours l'assiette de Buffalo en s'efforçant d'y mettre un certain détachement tout de même, si bien que Blonde crut qu'il s'agissait de pure provocation : cette fille-là en avait à son mari ! Elle allait désigner du doigt l'objet de son angoisse quand Maria disparut. Elle dit «Elle a disparu !» «Mais de quoi tu parles tout à coup ?» «Tu sais, la petite putain qui te tourne autour... Elle était assise là, elle n'y est plus.» Buffalo dit «C'est peut-être un ange !», et il aurait pu ajouter «Elle a reparu» puisque Maria venait de s'asseoir en face de lui cette fois. Il la vit distinctement recroiser ses jambes, jusqu'au haut de ses cuisses trop minces. Ses yeux s'allumèrent, les ailes de son nez palpitaient, il se mit à dire à quel point tout cela était délicieux. Il engouffrait son steak par larges bouchées, sans mastiquer, ce qui n'empêchait pas Maria d'en flairer l'odeur, même de sa place. Elle eut l'impression nette d'être en train de manger, par Buffalo interposé. Cela lui caressait la luette au passage, lui glissait dans la gorge, lui descendait d'une coulée dans l'estomac, et cela se mit à bouillonner, la machine de la digestion était en marche. Elle porta la main à son ventre où il lui semblait avoir senti une chaleur, puis elle la retira. Elle était simplement victime du haut-le-cœur de la faim.

Car son regard embrasse à la fois Buffalo et son assiette – la moitié du contenu a disparu dans son gros ventre –, et Maria a la certitude de voir la chair de ses joues et de ses bras proliférer. Elle regarde le type, ses yeux le dévorent, en font du hachis, le traversent, parce qu'elle ne s'arrête pas vraiment à ce commensal qui sape, elle le jurerait même à distance, dont la bouche chuinte comme celle d'un reptile ; elle voudrait seulement lui chiper une bouchée, à ce ruminant ! Il capte son regard au moment où Maria le munissait de couteaux de boucherie, mais elle l'orne l'instant d'après de mille rondeurs et séductions. Buffalo se trouble et demeure bouche bée. Lorsqu'il se lève pour payer l'addition, elle lui fait un petit signe de la main qui ressemble à un au revoir. Il frémit. Son gros cœur palpite. Il se dirige vers les toilettes.

Dans la tête de Maria mûrissait tout un plan de campagne. D'abord ameuter Joaquim et Popeí, établir le moment et la stratégie, ensuite faire confiance au destin. Quand Buffalo revint des toilettes par un chemin détourné pour l'examiner de plus près, il vit Maria se faufiler entre les tables et s'éloigner rapidement. Il cria « Attends… » en vain. C'était l'heure où Maria travaillait, juste quelques minutes avant la tombée de la nuit, quand le chien mord le loup, je veux dire juste avant que la méfiance ne s'installe parce que la lumière du soleil est sur le point de mourir, ce qui communique aux Cariocas une singulière excitation. Il fait plus frais déjà, on se serre volontiers les coudes sans crainte d'en retirer de l'accablement. Et puis il se passe autre chose : une effervescence subite comme si on craignait de ne pas être là pour jouir du soleil du lendemain. Maria retrouva Joaquim et Popeí et leur exposa son plan : il fallait attaquer vite, le premier jour du Carnaval, avant qu'il n'ait le temps de trop dépenser… Elle savait qu'il glissait son portefeuille dans la poche intérieure gauche de son veston ; que le portefeuille contenait des dollars en billets, une petite fortune, au moins cinq cents dollars ; qu'il avait aussi des travellers qu'on jetterait à la poubelle avec les cartes de crédit, c'était trop risqué ; pendant que Joaquim ferait des guili-guili à Blonde pour détourner son attention, Popeí bousculerait un peu Buffalo et plongerait sa main dans la poche inférieure droite où l'autre accumulait des masses de menue monnaie. « Et toi, constata Popeí, tu te charges du portefeuille parce que tu as l'habitude », « Comme d'habitude ! » ajouta Joaquim en soupirant. « C'est pourtant un plan très clair ! » fit Maria pour couper court à leurs protestations.

En attendant le grand jour ils vécurent de maigres larcins, l'air un peu blasé de ceux qui acceptent de petits boulots inintéressants dans l'unique but de survivre. Seules la passion et la grâce de Maria ne s'affadissaient pas en ces jours de disette. Sa main magicienne ne se faufilait jamais dans une poche sans y trouver l'argent, et son pied magique avait toujours le temps de déguerpir avant que l'ancien propriétaire de la somme n'eût constaté le délit. Si bien que Joaquim, Popeí et Eurice ne pouvaient s'empêcher de sourire en contemplant ses exploits, ce qui donnait l'alerte aux Brésiliens habitués à ces manèges et menaçait directement la sécurité de Maria. Elle les menaça de travailler seule dorénavant, s'ils n'étaient pas capables de tenir leurs yeux. Tenir leur langue, ils savaient, mais leurs yeux, hein ? « Vous me ferez prendre ! » Elle disait « prendre » comme elle eût dit « pendre » et c'est bien ainsi que toute la bande l'entendait. À partir de ce moment, quand Maria faisait main basse sur l'une des petites richesses de ce monde, ils fermaient les yeux ou ils regardaient ailleurs, puis ils se jetaient tous hors de l'autobus dès que la portière s'ouvrait. Ils se regroupaient ensuite, mais seulement cinq cents mètres plus loin, au cas où un agent de police, ou pis, un membre de l'escadron les eût espionnés. À cause du sourire de fierté qu'Eurice ne pouvait s'empêcher d'afficher à la vue d'un coup réussi, elle avait été dispensée du boulot pour une durée illimitée.

Le premier soir du Carnaval arriva. Les rues se remplirent de curieux, de Brésiliens, de touristes, d'artistes qui n'avaient pu retenir leur frénésie jusqu'au déclenchement officiel de la fête. La fête était déjà là, on en sentait la sensualité dans le moindre pas d'une danseuse, dans la fantaisie des esprits et des mots, dans le frottement des corps d'où montait une douce chaleur. Le défilé semblait tout à coup quelque chose d'accessoire dont la fête pourrait bien se passer. Maria, qui avait l'esprit vif et participait déjà à l'exaltation générale sans oublier un seul instant le but de sa promenade, crut bon d'exécuter quelques sambas au bénéfice des touristes. À partir d'une musique lointaine encore, elle s'anima, d'abord les épaules, puis la tête, et quand le battement des tambours sembla se rapprocher elle le reçut comme un massage sur son ventre, et son bassin se mit à rouler, ses pieds ne touchaient

plus le sol que pour marquer le rythme. Elle s'était
déguisée pour la circonstance mais elle avait gardé
une courte jupe, parce qu'elle n'aimait pas le creux
de ses cuisses. Quand elle commença à danser on
fit cercle autour d'elle, elle aurait pu savoir dès lors
qu'elle donnait un spectacle, mais elle n'en laissa
rien paraître. Elle tournait, tournait, entraînant
même dans son mouvement un Popeí qui ne semblait pas d'accord; de toute manière la foule n'avait
d'yeux que pour Maria. Le remerciant d'un sourire,
elle renvoya Popeí, et ses bras s'envolèrent, et sa
taille si mince, jusqu'à ses hanches qui semblaient
possédées par le roulement d'un derviche tour-
neur. Enfin ses pieds s'envolèrent. Quand elle se
posa de nouveau sur le sol afin de poursuivre sa
marche, les touristes se mirent à l'applaudir et à
jeter de la monnaie autour d'elle, ils avaient tous
envie de la tenir dans leurs bras, de lui dire qu'elle
était un ange, ils auraient voulu la saisir pour de
bon, qu'elle soit sous leurs yeux cette grâce éternelle, la manger par adoration, qu'elle les nourrisse
du bonheur qui l'habite… Ils rêvaient peut-être de
se l'approprier quitte à accepter qu'elle en meure.
Maria Cristobal ne se pencha pas pour ramasser
l'argent puisque c'était dans les airs qu'elle travaillait. Elle avait d'ailleurs ressenti une sensation
étrange, peut-être la peur engendrée par l'excès
même de la vie, comme une outrance, un déborde-
ment qui ne peut que dégénérer, une houle défer-
lante au sommet de laquelle on entrevoit par anti-
cipation les débris de la noyade. Par-dessus la
musique, au-delà de sa danse, loin derrière ceux

qui l'acclamaient, elle avait entendu se défroisser l'aile de la mort.

Trêve de frivolités, l'heure était venue. Maria se mit en chasse. Elle cherchait des yeux Buffalo et Blonde dans tout Botafogo. « Ils sont sûrement quelque part, ils vont venir ! » Elle et son équipe mirent cinq minutes à les repérer. Lui, il était bien là en chair et en os, avec son veston aux grandes poches en prime. Il s'appliquait à danser comme les autres pour entrer dans la fête, mais à Maria il parut danser comme un alligator : ses pieds n'étaient pas accordés aux mouvements de son cou, et il se produisait dans tout son corps une onde rythmique à contretemps propre à vous donner le torticolis. Il semblait aimer Rio au point d'en manger. Dommage tout de même, se dit Maria, qu'il soit la victime désignée, car il ne lui avait pas fait de mal à elle personnellement. Mais le métier commande, elle n'allait tout de même pas s'attendrir sur le sort d'un individu qu'elle ne connaissait pas, sauf quant à sa rentabilité immédiate. La petite bande s'approcha, se déploya autour de Blonde et de Buffalo. Il y eut des sourires et un clin d'œil en guise de signal. Blonde dit « On se fait un peu bousculer tout de même ! » Quant à Buffalo il ne dit rien car il essayait de rattraper dans la foule celle qu'il venait de reconnaître. Elle s'était collée à sa poitrine, ses cheveux noirs avaient frôlé son menton et il se demandait si c'était par accident. Il aurait bien aimé qu'elle lui livrât en cinq minutes la quintessence de Rio, sa sensualité parfumée, son rythme envoûtant, sa légèreté de vivre. Non, mais

comment ils font pour être si heureux, si contents
d'exister, à user de leur corps même pour marcher
comme s'il s'agissait de la dernière jouissance ?
Bouleversé par Maria et l'esprit du Carnaval, Buffalo se posait beaucoup de questions et il n'y
répondait pas trop mal. C'est seulement une heure
plus tard pourtant qu'il retrouva sa femme et que,
par un geste machinal de la main plongeant dans
la poche agrandie de son veston, il constata la dis-
parition de son argent, de ses cartes, de son identité quoi ! On lui avait pris son identité ! Oui oui, il
n'y avait pas d'autres mots, sauf celui qu'ajouta sa
femme : « C'est pis qu'un viol ! » Verts de peur d'être
confondus dans la foule, sans papier pour établir
leur différence en cas d'émeute, ils rentrèrent à
l'hôtel avant que le défilé du Carnaval ne s'ébran-
lât pour de bon.

Maria non plus n'était pas satisfaite. Après en
avoir retiré l'argent, elle se demandait comment se
défaire du portefeuille, car au moment où sa main
glissait sur la poitrine de l'Américain aux grandes
poches, elle avait reconnu Adolfo, et elle craignait
qu'il lui demande des comptes. « Je sais à quel
hôtel réside l'Américain que tu as volé. Rends-moi
le portefeuille sinon il t'en cuira ! » « Tu parles de
Buffalo ? » « Buffalo ou n'importe qui... rends-moi
son portefeuille. » Enfin ça se passerait à peu près
comme ça. Mais il y avait encore autre chose :
parmi les photographies de l'Américain, elle
découvrit celle d'un jeune homme, dix-huit ans à
peine, et quelqu'un avait écrit « Eddy » au verso.
Elle trouva Eddy si cruellement séduisant avec son

regard tragique qu'elle décida de glisser la photo dans son chemisier, même en sachant qu'elle commettait une faute professionnelle. Adolfo ne songerait jamais à fouiller à cet endroit, se rassura-t-elle. Et puis elle verrait, elle ne le garderait sur son cœur que pour une nuit. Adolfo portait un uniforme de policier qui le rendait presque humain, mais en fait il appartenait à l'escadron qui s'était donné pour mission de réduire le nombre d'enfants errants dans les rues de Rio : ceux-ci nuisaient au commerce, ils faisaient peur aux touristes, ils encombraient le paysage. Ils étaient une lèpre qui rongeait les villes de l'intérieur, une gangrène galopante. Maria ne devait sa survie qu'à son immense séduction sans doute.

Dans les moments difficiles pourtant, elle avait su lui parler. La première fois Adolfo s'était contenté de lui tapoter la tête en souhaitant ne plus la revoir ; la seconde il l'avait regardée de pied en cap et il avait glissé sa grande main nerveuse le long de son cou, puis il était parti ; la troisième il avait menacé de la jeter en prison, mais il avait caressé son bras en prétextant y chercher une blessure, une trace sur sa peau qui l'incriminerait. Le bras de Maria était devenu si mou qu'il eut l'impression de tenir une morte, et il l'avait lâchée. « À charge de revanche, Maria Cristobal ! » avait-il dit. On en était donc à la revanche et, quand elle y songeait, Maria avait les ailes du nez qui palpitaient de peur tandis que tout le reste de son corps se pétrifiait pour ressembler à une sculpture. Elle ne bénéficiait même pas d'une favela, où il y a des murs et des connivences d'une cloison à l'autre, ni de quoi que ce soit qui ressemble à une famille. Elle était de Botafogo, le quartier du centre – qui connaît toujours une circulation du tonnerre peu propice à la rapine –, elle habitait les environs du port où les mailles du filet social sont plus lâches, où il y a plus de trous, disait-elle, permettant aux rats de se cacher. Et si elle montait à Copacabana c'était uniquement pour y travailler entre la mer et la muraille des hôtels chics.

Le lendemain de sa dernière aventure elle voulut pourtant fêter à sa manière le Carnaval en offrant à Joaquim et Popeí un repas digne d'eux. Ils prirent le bus et descendirent à l'avenue Atlántica qui grouillait de monde. Les piétons y déambulaient mais ils ne semblaient pressés d'arriver nulle part, on aurait dit que leurs jambes avaient conservé de la veille un souvenir du rythme, même en l'absence de musique. Pas tout à fait, constata Maria. Il flottait dans l'air des bribes de chansons, des rythmes, oh pas assez continus pour qu'on s'y soumette, des parfums de peau qui se mêlaient à ceux de la cuisine, et parfois une piquante odeur de mer. « C'est favorable », dit Maria. Ils passèrent devant la terrasse du Café do Mar le plus discrètement possible, ce qui n'empêcha pas Maria d'y reconnaître ses victimes. Buffalo regardait le profil de Niteroí par-dessus la baie, l'air plutôt dégonflé, et Blonde le traitait de naïf tout juste bon pour servir de guide à un pasteur dans une assemblée religieuse. Il préférait porter son fric sur lui, ça lui donnait de l'importance, pourtant tout le monde lui avait dit de déposer son argent liquide, et même ses travellers, dans le coffret de sécurité de l'hôtel. À présent ils devraient courir à l'agence, annuler les cartes de crédit, demander une entrevue à la banque, mais quelle banque ? Ça leur faisait une belle jambe ! Maria eut légèrement pitié de lui, mais elle passa son chemin en tâchant de cacher sous son aile Joaquim et Popeí : ils formaient un trio si facilement identifiable !

Jugeant la distance suffisante et sachant que de toute manière aux yeux de Buffalo tous les Brésiliens se ressemblaient, ils s'arrêtèrent à la terrasse du troisième café, firent glisser les chaises autour de la petite table blanche. Le garçon fonça aussitôt sur eux en leur disant de déguerpir, ils n'avaient rien à faire là, surtout pendant la semaine du Carnaval, toutes les places étaient occupées. « Mais qu'est-ce qui se passe aujourd'hui ? » « Je l'avais dit ! » fit Popeí qui menaçait de casser sa chaise ! « Fora ! » coupa le garçon, soit l'équivalent de « Faites de l'air ! », ou de « Scrammez ! » Maria prit le garçon à part, lui montra deux billets de vingt dollars, expliqua que sa mère les envoyait manger tous trois justement parce que c'était le Carnaval, « Vous nous prenez pour des chiens peut-être ? » Ça va ça va, Maria, ne t'emballe pas, il a bon cœur et ça se voit tout de suite à la tendresse de ses yeux, tu peux te rasseoir.

Elle reprit place entre Joaquim et Popeí. Ils méditèrent longuement sur le menu même s'ils ne savaient pas vraiment lire, car ils ne voulaient pas rater leur coup, pour une fois qu'ils avaient un menu à la main et qu'ils se trouvaient assis à la même hauteur que les touristes. Finalement la raison l'emporta et Maria commanda un steak frites pour tout le monde, mais un steak comme ça, presque saignant, «Pas le mien!» protesta Joaquim, «Tu te tais, dit Maria, tu as besoin de refaire tes forces.» Et il faudrait aussi beaucoup de ketchup, et des tomates pendant que vous y êtes, et du céleri, et une salade, elle oubliait la salade, et puis pour le dessert on verrait tout à l'heure, n'est-ce pas qu'on verrait? Ils éclatèrent de rire à l'unisson.

Ce fut une fête comme il n'y en a pas souvent, avec de petits carnavals, échos affaiblis du grand, qui naissaient spontanément sur le trottoir ou dans la rue et se dissolvaient aussi vite dans le mouvement de la foule. Maria fut tout à coup gênée par la présence insistante d'une gamine qui lui proposait du chewing-gum. C'était le boulot habituel d'Esmeralda, et Maria qui se retrouvait soudain de l'autre côté de la clôture n'avait pas prévu le coup. Elle expliqua à l'enfant qu'elle n'était pas vraiment là, que ce n'était pas sa place réelle, qu'elle aussi vendait souvent du chewing-gum. Alors elle dit à la gamine qu'elle n'en voulait pas. Elle fouilla tout de même dans son sac et glissa une pièce de monnaie dans la main de la vendeuse, qui parut absolument vexée qu'on lui fasse la charité en méprisant sa marchandise. Maria se détourna d'elle avec un pincement au cœur. Un de ces jours elle leur en ferait baver à tous ces riches qui portent leurs dollars comme une parure, elle les forcerait à avaler par le nez s'il le faut des tonnes de chewing-gum! En attendant, ce qu'elle avait surtout apprécié de Buffalo c'est qu'il semblait presque d'accord avec elle, sinon il n'aurait pas laissé son veston bâiller à tout vent, il n'y aurait pas mis des sommes exorbitantes. Pauvre Buffalo, elle l'aimait bien, il méritait peut-être une récompense. Maria s'attendrissait. Elle avait fini par se débarrasser du portefeuille, comprenant qu'elle jouait inutilement avec le feu, mais elle avait auparavant imaginé tous les strata-gèmes pour le lui rendre sans se faire pincer, dans l'unique but de lui épargner des ennuis. Elle s'était rendue devant le Copacabana Palace, avait tenté d'échapper le portefeuille en douce, mais comme le portier la suivait du regard elle l'avait ramassé aussitôt.

— Attention! Je crois que c'est Adolfo… Non, je me suis trompée. Vous pouvez finir votre repas.

Joaquim était le romantique de la famille. Il pro-posa qu'on aille se promener sur la plage pour mieux digérer. Il y avait la mer qui bavardait mais aussi le sable encore chaud qui glisserait entre les orteils et, pratique, il ajouta: «Il faut emmagasiner un peu de chaleur.» Il ne voulait pas tant imiter les touristes, qui se promènent sur la plage après le coucher du soleil en criant leur étonnement de sentir sous leurs pieds, jusque tard le soir, cette tié-deur insolite, que se rouler vraiment dans le sable pour lui voler sa chaleur, car il savait qu'elle ne serait de nouveau au rendez-vous que le lende-main. Et il se sentait orphelin du soleil pour toute la durée de la nuit. «Dis Maria, on y va?» «C'est

trop dangereux!» trancha Maria Cristobal. Ils posè-
rent sur elle des regards mi-amusés, mi-sceptiques,
puis ils se rappelèrent Adolfo, et ils comprirent.
«Rentrons à la maison.» La maison c'était tout
Botafogo, la route qui longe la mer en ondulant
légèrement, les trottoirs devant des façades
muettes, les marchés où l'on cueille parfois ce qui
tombe des tables, mais c'était surtout cet abri à
l'ouest du quai où s'amarre le traversier de Niteroí:
un espace vaguement rectangulaire, couvert de
tôle, que Maria avait volé à la mer. On y avait des
couvertures et un réchaud, des casseroles pour
manger, une penderie – enfin ce que Maria appelait sa garde-robe –, et l'indispensable bouteille de
cachaça, cet alcool de canne servant dans les
urgences, pour nettoyer une plaie par exemple, ou
pour se faire rêver de force avant de s'endormir.
Quand la mer montait trop il fallait sortir, et Popeí
était devenu expert dans le calcul des marées
hautes à la dizaine de minutes près.

Deux semaines s'écoulèrent. Maria avait mis en
lieu sûr, au fond de sa garde-robe, le magot de
l'Américain, «pour les mauvais jours», et avait
repris son vol à la tire. Sa main s'envolait dans un
éclair zigzaguant, trouvait son petit profit, se repo-
sait sagement le long de son corps, puis elle s'envolait de nouveau parce qu'elle ressemblait à une
aile.

Mais le 21 mars, profitant du temps plus frais
pour refaire le plein d'air et cherchant sans doute
une occasion facile d'ajouter à son pécule, Maria
errait devant la gare du traversier, qui déversait ses

centaines de passagers pressés d'en finir et d'arriver à destination, quand elle aperçut Adolfo, tranquillement adossé au mur, et qui l'observait. Elle sut que le sort en était jeté, elle ne chercha pas tout de suite à fuir. Elle s'est mise à marcher en direction opposée à celle de son repaire, dans l'espoir que le regard braqué sur elle, qui la tenait en laisse, allait se distendre jusqu'à se briser et qu'elle pourrait prendre ses jambes à son cou. « Fausse alerte ! » répétait-elle à chaque pas pour conjurer la menace, même si elle ne croyait pas que le regard d'Adolfo fût une fausse alerte ! Elle se retourna légèrement. Il la suivait comme un chien sa maîtresse, regardant partout sauf en sa direction mais ne voyant qu'elle. « Marche Maria Cristobal, marche ! » Ses jambes n'obéissaient plus, elle avait l'impression d'être au ralenti, elle avançait d'ailleurs de plus en plus lentement, comme dans un cauchemar, puisque Adolfo se rapprochait d'elle même s'il avait adopté le rythme d'une promenade de santé. Elle le comprit en se retournant pour la deuxième fois : il était sur ses talons. Alors elle s'immobilisa à l'arête du trottoir, prête à glisser dans la rue à la première alerte. Il se plaça devant elle, les pieds posés dans la rue, et lui fit remarquer que de cette manière elle était presque aussi grande que lui. « Tu viens pour Buffalo, non ? » « Non, je viens pour toi. » « Je n'ai rien. Je n'ai rien fait, je t'assure. » « Ça n'a plus d'importance. » Adolfo avait son œil des jours mauvais, entre le sourire et la haine. Il la prit dans ses bras, trouva qu'elle pesait une plume et la redéposa. Il lui dit « Marche

devant moi » et son ordre ressemblait à un constat.
« Ça va de soi », dit Maria, « les dames d'abord ! »

Adolfo se mit à la suivre d'assez loin, on aurait
dit pour lui donner une dernière chance de
s'échapper. Mais lui aussi savait qu'elle ne tenterait
rien. De toute manière il mettrait peu de temps à
la rattraper. Son plan était arrêté depuis longtemps,
c'est pourquoi il consacra toute cette petite promenade à construire son désir. Le dos de Maria ondu-
lait doucement, ses cheveux avaient des envols
brusques qui dégageaient sa nuque noire et y retombaient comme des baisers, ses jambes, petites
mais fermes, devaient s'élargir à la cuisse et se prolonger dans la fesse sans froisser la peau d'aucun
pli. Il se voyait la soulevant au-dessus de sa tête…
« C'est bon ? » demanda-t-elle en se tournant vers
lui. Elle voulait dire : Ça va, je peux m'en aller
après ce petit spectacle ? Sa sensualité de jeune
fille naissante se propageait jusqu'à lui comme un
parfum. « C'est bon ! » acquiesça-t-il. Il voulait dire :
Tu marches bien, tu ressembles déjà à une femme,
mais je dois débarrasser le monde de la vermine
qui le ronge. Et si la vermine a la peau douce, ce
n'est pas ma faute. Il ferait d'une pierre deux coups,
car il en avait supprimé beaucoup d'autres, au
point qu'il ne sentait plus grand-chose au moment
du geste, un vague agacement dans les pires cas,
lorsqu'il allait jusqu'à reconnaître du mérite à ses
ennemis. Il ne s'attaquait en effet qu'aux petits
chefs, « il faut viser la tête ! Le reste se débilite de
lui-même ! », et il avait fini par développer une certaine admiration pour ses victimes, d'autant plus

facilement que cela lui permettait de croire sa compétence et ses vertus de stratège proportionnelles à la qualité de ses proies.

Tudo bem », dit-il, tout va bien. C'est le signal que Maria attendait pour s'immobiliser. Alors il l'entraîne dans un chantier abandonné, dont il sait qu'aucune voix ne peut s'échapper et que même le regard de Dieu refuserait d'y pénétrer. C'est un lieu sombre, déchiré d'éclats de lumière qui n'arrivent pourtant pas à l'entamer. Maria n'est déjà plus vivante. Elle pense à Esmeralda, à Joaquim, à Popeí, à Eurice surtout, à cause de son âge et de son nom. Que faire ? Il la couche sur une pierre plate, il tape ses joues pour la ranimer, il commence à la sermonner pour qu'elle réagisse. Il ne veut pas la prendre dans cet état, « Tu crois me faire le coup de la morte ? » Mais il est vrai qu'elle ressemble à un ange noir qui serait né du croisement de deux éclairs, la figure ronde malgré la faim, les lèvres dessinées avec tant de précision et de finesse que seul un autre ange... Alors il s'anime pour deux, sans doute afin de briser le charme sous lequel il est tombé. Il soulève sa jupe de gitane, celle qui permettait à Maria de travailler, c'est-à-dire de passer inaperçue dans une foule bigarrée, et qu'elle avait vraiment achetée dans une boutique en se disant que sa bonne action lui porterait chance. Il aperçoit le genou sanglant et se souvient qu'elle est tombée en entrant en Enfer. Il déchire sa culotte mais il épargne le chemisier blanc et les boucles d'oreille en argent de pacotille, afin qu'elle ressemble le plus étroitement possible à l'objet qu'il a désiré, qu'elle soit prise intacte, pareille à l'image qui le harcelait. Il se penche sur elle, pénètre, en tenant son cou dans la main droite pour s'assurer qu'elle ne cherche pas à fuir. Elle n'y songe même pas, elle est toujours morte. Il sent battre le sang dans ses propres artères jusqu'au bout de ses doigts. Il dit « Je vais te réveiller, moi ! » et il commence à serrer son cou, il l'étrangle méticuleusement. Alors elle se débat, elle râle, ses muscles se contractent des pieds à la tête et se mettent à vibrer, ce qui excite davantage son bourreau qui confond délibérément ses spasmes de mourante avec ceux de la volupté. Quand tout est fini, il secoue sa main droite pour en chasser le mal. Et il ferme les yeux de Maria, Christ-Gitane. Puis tout son corps de brute est secoué d'un tremblement que personne ni lui-même ne saurait nommer.

Celui qui vient d'administrer sa justice s'éloigne du lieu et rentre chez lui en se retournant de temps à autre pour s'assurer qu'elle ne le suit pas. Elles se ressemblent tant, ces Maria ! Il en aperçoit une, puis une autre... Demain on dira qu'une pauvre enfant abandonnée a succombé à son sort.

Promenade

Ici je m'amène avec mes gros sabots, un peu tard accuserez-vous, trop tard pour la sauver en tout cas, et je me contente de constater que celui qui a étranglé Maria a dû la transformer d'abord en pur objet de sa haine et de sa jouissance. C'est la négation absolue de l'autre et la proclamation des droits du Moi jusqu'à l'absurde. Idoua disait « J'ai tous les droits, puisque j'existe » ; Agnelle revendiquait son droit au bonheur ; Ed et Mary, le droit de descendre aux Enfers s'ils le voulaient ; María Moreno, le droit de vivre à peine décemment ; mais Adolfo dit « Pour que je continue, tu ne dois plus être ! », pis encore, il affirme « C'est parce que je te détruis que j'existe ! » Mon douanier conclura qu'Adolfo est alors un chacal parmi les chacals et qu'il ne lui reste plus qu'à japper pour manifester son contentement.

Voyons les choses sous un angle différent. Disons que Maria se ressaisit à temps. De sa main magicienne elle subtilise le revolver d'Adolfo et, quand il la couche sur la pierre, elle lui loge une balle entre les yeux. Le bruit de l'explosion meurt dans l'antre. Le corps détesté retombe sur elle et le sang se répand sur sa figure. Alors elle pousse tout cela de côté, se dégage, et entreprend de fouiller les poches, car elle sait que ces types-là sont bourrés de fric. Elle en trouve. Elle lave sa figure sous le filet d'eau qui tombe d'un tuyau mal abouté et court rejoindre sa famille. Demain on lira dans le journal « Policier mort dans l'exercice de ses fonctions », et seule Maria saura qu'il avait des fonctions un peu louches tout de même. Ou on écrira — c'est plus politiquement correct —, qu'un individu nommé Adolfo s'est donné la mort sans qu'on puisse en deviner la raison, laissant dans le deuil Maria, Joaquim, Eurice… «Tiens donc! constatera Maria, il va falloir en plus le pleurer comme mon propre père!»

Mais cela n'a pas de sens puisque Maria Cristobal ne sait pas lire. Disons plutôt qu'elle réussit à s'échapper juste au seuil de la porte de l'Enfer, parce qu'Adolfo a glissé sur une pelure de banane. Elle pèse sur son épaule pour accentuer sa chute et, vive comme un lièvre du Sertao, elle se sauve pour recommencer à voler, et elle recommence pour se sauver. L'autre se relève en jurant qu'il lui mettra la main au collet un de ces jours, et que plus le temps passera plus son plaisir de la coincer sera grand, il a même une raison supplémentaire de l'arrêter, «elle est dangereuse» dira-t-il. Et Maria devra faire mille détours en rentrant chez elle pour l'éviter, pour qu'il ne trouve jamais la trace qui mène au repaire des enfants. Puis, de lassitude, Adolfo songera à publier une affiche déclarant «Maria, danger public, recherchée», parce que Maria est devenue son obsession, il faudra qu'il se venge à mort puisqu'elle l'a humilié. Une affiche avec son nom écrit dessus. Mais Maria ne sait toujours pas lire, à quoi ça servirait?

Pour en avoir le cœur net je m'installe à la terrasse du Café do Mar et je demande au garçon, Eduardo, s'il a entendu parler de Maria Cristobal. «Vous voulez rire?» fait-il, incrédule. «Pourquoi ça?» dis-je. «Mais il y en a des centaines, des milliers peut-être!» «D'accord! Je parle de celle qui est venue ici cette année, un soir de Carnaval, accompagnée de Joaquim et Popeí. » Oui, bon… il ne voyait pas bien, « et puis on n'est jamais sûr… Pourquoi, vous la connaissez ? » Je lui dis que je voulais savoir si elle savait lire, et il me répond « Certainement pas. » Alors je lui demande ce qu'il pense des enfants qui tournent autour de ma table. Il répond qu'il faut les chasser, d'abord parce qu'ils gênent les touristes, ensuite parce que si on les laisse faire ils finiront par tout envahir, et ce sera le bordel ! Et c'est mauvais pour les affaires. Mais à mesure qu'il dit cela, je surprends des éclairs de tendresse qui s'allument dans ses yeux quand il les pose sur tel ou tel enfant. Il a dû agir de la sorte avec Maria Cristobal et je lui en suis secrètement reconnaissant.

Je partage mon repas une fois avec deux enfants, une deuxième fois avec une famille complète, et pour moi cela constitue une sorte d'impôt volontaire consenti à l'un des plus beaux pays du monde. Puis c'est le bordel. Je deviens l'attraction du Café, toutes les tables autour de moi sont bourrées de gens qui attendent que je mange, que j'aie mangé, pour manger à leur tour, si je consens à leur proposer mes reliefs de table. Eduardo a bien envie de me chasser, que les lieux retrouvent enfin un peu de leur calme ! Et les autres clients s'enfuient en me jetant un regard assassin. Eduardo dit « Je vous avais prévenu ! » Mais il n'osera pas me chasser, c'est contraire à la politique de la maison. Il espère du moins qu'on finira par trouver un compromis.

Le lendemain Eduardo m'invite à passer à l'intérieur du restaurant, où on sera plus tranquilles. Il a d'ailleurs quelqu'un à me présenter, quelqu'un qui m'observe en rigolant depuis un certain temps, qui n'en peut plus de me regarder faire. Eduardo me présente « l'Ambassadeur ». Un type superbe, blanc foncé, la crinière frisée, l'œil intelligent. Je demande « Ambassadeur de quoi ? » Il dit « C'est mon nom, tout simplement. Ambassadeur de ce que vous voulez ! » Il me plaît instantanément. Il se considère avec raison l'ambassadeur des pauvres. Il possède une « flotte » de taxis ; en plus de sa langue maternelle, qui chante si bien, il parle l'anglais, l'espagnol, le français, l'allemand, ce qui lui permet d'accueillir n'importe qui, les Suisses entre autres, et de leur faire aimer le Brésil ; il lave de tous leurs biens les touristes qu'il juge outrecuidants, « Il y a des limites à la provocation ! » ; ensuite il tente de répartir les bénéfices parmi sa troupe, et il assure un certain équilibre entre les membres : celui-là, il faut le freiner, mais cette autre, il veille à ce qu'elle mange mieux, et puis il a ses préférés. Ceux en qui il a placé l'espoir qu'ils nous changeront ce monde de merde. À ceux-là il offre des cadeaux, et il rajoute un billet de vingt dollars. Tous l'adorent, même ceux à qui il ne donne que la portion congrue, et pour cause ! L'Ambassadeur est à lui seul un gouvernement, et le seul qui s'occupe vraiment d'eux.

Pendant la soirée je l'ai vu remettre à un jeune couple de Suisses, qui s'était fait nettoyer par des voleurs, une compensation monétaire et un tas de cadeaux-souvenirs. Vous direz que c'était peut-être lui qui avait organisé le vol de leurs avoirs, mais qu'importe, puisqu'il leur rendait ce qui représentait l'essentiel à ses yeux : des souvenirs de Rio, et la possibilité donc de retourner chez eux en emportant une trace de leur voyage. « Sinon pourquoi voyagent-ils ? » qu'il me demande. Je le regarde, interloqué.

Alors il dit « Je vais t'expliquer comment va le monde ». Il m'explique, et tout ce temps-là Eduardo ne cesse de passer près de notre table et de se mêler à la conversation. L'Ambassadeur explique qu'il a aimé mon geste mais, comment dire ? c'était généreux et stupide tout à la fois. On ne nourrit pas, pour un jour seulement, par caprice, la centième part d'une nuée d'oiseaux : d'abord ça irrite les quatre-vingt-dix-neuf pour cent qui ne reçoivent rien, puis ça les irrite à cent pour cent quand on disparaît avec la manne. Il me donne à juste titre une leçon de responsabilité. Je ne l'en apprécie que davantage. Il me dit dans un français presque sans accent, dont il force toutefois la mélodie, « Contrairement à ce que vous croyez, et loin de se rattacher à un phénomène dépassé (ou du passé ?), le peuple des enfants du Brésil est l'image exacte de l'avenir de l'humanité. Deux classes antagonistes : d'un côté ceux qui sont motivés par la rage de survivre, de l'autre ceux qui affichent leur bonheur de vivre. Et tout se passe comme si la valeur de la vie était liée à sa rareté. C'est comme pour l'or. Sa valeur diminue à mesure qu'en augmente la quantité ». Voilà pour la leçon d'économie.

Il poursuit, « Je me souviens de l'amour que nous portions aux mouettes quand elles nous ont paru menacées, puis de la haine quand elles ont commencé à manger les semences dans les champs, à envahir les villes et à chier partout. Alors on a remarqué qu'elles avaient des poux. Vous ne trouvez pas que les poux de l'espèce humaine deviennent visibles?» J'ai envie de dire: Oui c'est sûr, les poux se voient, mais au lieu de cela je lui demande tout de go s'il a connu Maria Cristobal. Il dit «Maria Joaquim Popeí? Oui, bien sûr! Tu sais? demande-t-il en s'adressant à Eduardo, la petite qui a l'air d'un ange en chocolat? Et qui circule accompagnée d'un maigrichon qui fait ses muscles et d'une bonne pâte qui a toujours les yeux au ciel pour faire croire qu'il prie?» «Je vois!» dit Eduardo, avant de s'échapper pour aller servir d'autres clients. «Le problème, enchaîne-t-il, c'est qu'il y a plusieurs problèmes à la fois. Par où commencer?» «Vous voulez dire que vous avez connu personnellement Maria Cristobal, en chair et en os?» «Mais je n'ai rien pu faire… Elle était déjà marquée». Et je vois que ses yeux brillent à l'évocation de Maria. Je suis certain qu'il l'aimait à sa manière et lui proposait des cadeaux dans l'espoir qu'elle change le monde, peut-être, et qu'elle lui porte jusqu'à son lit, en y passant de temps à autre, quelques petites gratifications. Je doute de pouvoir le suivre jusque-là et, comme s'il avait entendu ma question muette, il dit «Au Nord, vous n'avez toujours pas compris que la vie est un perpétuel échange». «Vous prétendez qu'on doit payer de sa personne pour survivre?» «C'est une façon de voir. Mais la vie n'est qu'une circulation d'énergies – tout le reste c'est des bêtises!»

Après un moment de silence il reprend « Je vais te dire une strophe de Carlos Drummond de Andrade qui parle d'une favela nommée "Vite fait" :

« Ici ça s'appelle Vite Fait
parce que vite se défait
la maison faite en un éclair
sur un terrain incertain, glissant.
Tout ici se fait vite.
Jusqu'à l'amour. Jusqu'au joint.
Jusqu'à, plus vite encore, la mort.
Même quand nul ne se presse. »

Et il ajoute « Je la vengerai, votre Maria. Et le salaud qui a pris sa vie, je le tuerai lentement en lui criant dans l'oreille le nom de Maria Cristobal. Puis je lui bouterai le feu au corps ! »

Défilent alors devant mes yeux des hordes d'enfants déchaînés qui, surgis de nulle part, se posent n'importe où et disparaissent de la même manière. Rien ne les arrêtera. Comme une tornade qui arrache et casse tout à défaut de pouvoir se l'approprier, ils passent, rampant dans la boue, grimpant aux arbres, faisant main basse sur la ville, leurs dents sont blanches comme des éclats de lames, leurs yeux ronds et fous, leurs ventres digèrent le vide. Ils ont le sourire menaçant, qui signifie « Le jeu est fini, débourse et dégage ». Et j'ai envie de leur dire « Cassez tout ! Qu'il ne reste plus pierre sur pierre, que la ville soit lavée puis reconstruite… » mais ma phrase se brise, je change d'idée. Ce n'est pas la ville qui doit être refaite mais bien ceux qui l'habitent. La ville n'a rien à y voir, puisqu'elle danse, les pieds dans la mer et le cul sur les collines. Puis je me rends compte d'une nouvelle injustice. Ce ne sont pas les Cariocas qui sont coupables, mais peut-être l'humaine façon d'organiser le monde? Comment peut-on demander à un être humain d'être au service d'un autre, et que l'autre n'ait pas envie d'en tirer tout bénéfice?

Eduardo dit « J'en ai marre! Le patron m'inflige une amende à cause des enfants de l'autre soir ». J'offre de payer l'amende, mais il dit qu'il préfère payer pour apprendre. L'Ambassadeur réclame le patron et nous décidons collectivement que la dette d'Eduardo sera effacée. C'est ma faute bien sûr, un pur effet de mon ignorance du pays. « Non non, dit le patron, je vous permets de recommencer, mais le midi seulement, c'est moins dangereux ». Et je leur fais remarquer que je ne partage pas mon repas par bonté d'âme mais simplement parce que j'ai un faible appétit. Il serait tout de même ridicule de jeter aux poubelles ou aux chiens des mets que j'ai payés. Alors ils acquiescent sauf l'Ambassadeur qui me rappelle sa nuée d'oiseaux affamés, « Sur mille, lequel tu choisis? comme si tu étais Dieu, bordel! et qu'il te revenait à toi de décider de la vie ou de la mort? » À Maria Cristobal j'aurais tout donné, en dépit de ce qu'il peut raconter. Je crois que je suis amoureux d'elle. Et cela me rappelle l'histoire que me contait un moine de collège, surveillant de dortoir: « J'aurais voulu l'épouser pour la rendre heureuse », disait-il en parlant d'une jeune Biafraise morte de faim, et il m'a paru avoir la certitude de se sacrifier en émettant ce vœu impossible : il l'aimait assez pour cela ! Mais il ne se rendait pas compte de l'horreur qu'il proférait. Il supposait qu'il était un cadeau pour Maria, qui ne l'aurait même pas distingué dans une foule ou qui, si elle l'avait distingué dans son insistance à lui vouloir du bien, l'eût envoyé paître comme le dernier des profiteurs ou des imbéciles. Maria avait raison : le vieux chnoque n'avait rien à lui offrir. Il n'avait même pas le droit d'y rêver.

Tandis que Marie Agnelle s'amuse à calculer sur les plateaux de sa balance le poids du bonheur qui lui est dû, et qu'elle voudrait transformer les droits de la personne en instrument efficace pour conserver ses privilèges, Mary Virtuelle prétend que tous les droits sont d'un piètre secours dans son désir d'être heureuse. Et Maria Cristobal sait qu'elle n'a pas encore acquis le droit d'exister et qu'il en va ainsi des deux tiers de l'humanité. Alors je ne sais plus que penser, je suis un amoureux en deuil de Maria, les jambes fauchées, la voix qui s'étrangle au passage des mauvais souvenirs.

Je n'en continue pas moins d'interroger l'Ambassadeur, « Que vont devenir Joaquim Popeí Esmeralda et Eurice ? » Il répond « Eurice, ça se prononce "Éouritche", en accentuant le "i" ! C'est le diminutif de Eurydice, vous vous souvenez, la sirène d'Orphée ? » « Je sais, je connais ». Puis il hausse les épaules. « S'il fallait choisir, vous imaginez le problème ? Avec un ordinateur peut-être ! »

« Mais je croyais comprendre que vous les aviez choisis, tous ! »

L'Ambassadeur est aussi un passeur : pour à peu près rien, uniquement pour vous étonner par exemple, il vous conduira au cœur de l'Enfer, en vous prévenant toutefois qu'il ne garantit pas le retour. Avec lui j'ai visité des bouges où des filles belles, qu'on dirait sorties d'un tableau de maître, dansent comme des serpents, vibrent comme la lumière et s'offrent « pour une bouchée de pain », c'est le cas de le dire. J'ai vu aussi la face ombrée de la ville – dont on ne revient jamais.

Si Buffalo avait été avec nous, à table, il aurait demandé « Ils sont si mignons, mais pourquoi volent-ils ? » Ça ne lui rentrait décidément pas dans la tête. « Mais parce qu'ils n'ont pas d'autre job pour survivre », aurait répondu l'Ambassadeur. Et j'aurais ajouté : « Peut-être parce qu'ils ont des ailes ! » Alors Buffalo aurait souri en revoyant Maria, son genou et sa cuisse brune sous la jupe, sa danse sur le trottoir quand elle se mettait à flotter, et sa main qui s'envole. Puis il aurait sans doute admis « Vous avez raison ». Et je serais reparti de Rio en croyant avoir gagné un homme d'Amérique à la cause de Maria.

Promenade finale

— Après toutes ces horreurs, j'espère qu'on aura droit au *happy end*! fait remarquer qui vous savez.

Comme s'il y avait une seule chose au monde qui puisse se terminer dans la frivolité, la jambe en l'air.

Il verra bien ce qu'il en est, un jour. Pour le moment il n'a pas à me dicter la suite, que voici.

Marie, jusque dans ses rêves, rêve du bonheur. Comment le lui interdire? À l'occasion du Carnaval de Rio, l'année suivante, elles se réunissent toutes: Mary Sequaluk, Marie Agnelle, Mary Smith, Mary Virtuelle, Mary Jones, María Moreno et Maria Cristobal. Pour danser cette fois, et c'est Cristobal qui leur montre le pas, Moreno qui les habille sous l'œil attentif d'Agnelle, trop heureuse d'avoir engendré tant de filles. Cette dernière dit «Les filles, on va mettre Rio sens dessus dessous». «C'est déjà fait!» insiste Cristobal. Elles forment une école de samba à elles seules, elles s'insinuent dans le défilé et elles dansent, non pas tellement pour le public mais pour elles-mêmes. Cristobal leur a appris à s'envoler sans vraiment quitter le sol, même la grosse Jones parvient à décoller lorsqu'elle y met l'effort nécessaire. C'est une troupe disparate mais si envoûtante.

Quand elles ont bien dansé, elles se retrouvent toutes à l'appartement qu'a loué Moreno, rue Santa Clara, à deux pas de la plage. Elles ont l'une pour l'autre de petites attentions qui comblent le cœur, elles en sont si émues qu'elles chuchotent. « Ah non, tout de même ! On n'est pas venues là pour s'endormir ! » lance Mary Virtuelle, qui les secoue un peu et trinque plus que de raison, « Alors qu'est-ce que vous proposez pour faire nouveau ? » « De changer la vie peut-être ? » « Essayons ! »

« J'ai laissé le mioche à son grand-père », dit Sequaluk en attaquant. Elles ont envie de rire parce qu'elles imaginent un enfant qui joue sur le glacier. Elles donneraient tout en ce moment pour lui échanger un peu de sa fraîcheur, tandis que Smith fait glisser un glaçon, qu'elle a pris dans son verre, sur la face interne de son avant-bras. Virtuelle est hypnotisée par ce bras qui ressemble à du pain qu'on retire du four, mais Cristobal considère qu'il ressemble plutôt à une anguille. « Il me donne faim » dit-elle, et elle fait mine de déchirer à belles dents le bras de Smith. Moreno s'amuse en secret, convaincue qu'elles ne savent pas ce qu'elles font. Elle pense qu'elle est en voie de réussir sa vie, elle n'en est pas tout à fait certaine cependant, peut-être un jour, lorsqu'elle aura suffisamment d'économies pour repartir du bon pied. Pourtant le fait que ses compagnes ont tragiquement échoué lui donne des complexes. Il lui semble qu'il y a une grande beauté en chacune d'elles, comme si le sens de la vie ne surgissait que dans le dénuement extrême, au moment de perdre tout. Dans cette minute de vertige, la vie se retourne sur elle-même pour chercher un sens, et elle le trouve. Sequaluk avait trouvé en perdant son corps aux mains de son père ; Agnelle en flirtant avec la mort, celle qui laissait une empreinte dans son fauteuil ; Smith, se prenant pour un germe de blé, s'était semée elle-même sans faire exprès ; Virtuelle avait craqué quand Eddy s'était mis à la prendre au sérieux et s'était enfoncé dans le rêve pour l'y rejoindre ; Jones, ah celle-là ! elle ne parle pas beaucoup, elle transpire, elle fume sans arrêt pour occuper ses mains, surtout que ses mains ne s'envolent pas vers tous les plats qui passent, car les plats sont la suprême et fatale tentation du monde ! Jones a compris ça dans le ventre de l'alligator ; mais Cristobal, elle, avait compris déjà sur le trottoir, quand Adolfo marchait derrière elle, c'est pourquoi elle n'était plus pressée de s'enfuir. C'est pour ça que je l'aime. Elle porte sans se dérober le sens tragique de nos existences.

« Alors, par quoi on commence ? » demande Moreno. C'est bien là la mère des questions, et qui ne cesse d'engendrer d'autres questions depuis le début des temps. « Il faut repartir de zéro » dit Agnelle. « Zéro, c'est pas beaucoup ! » dit Jones, « Est-ce parce que rien ne trouve grâce à tes yeux ? » « Oh… non, mais… là n'est pas la question. » « D'accord, on refait le monde ! » « C'est une idée, fait

Virtuelle, mais comment ?» ▐L'Amérique en a pourtant l'habitude, dit Agnelle, j'efface tout et je recommence». «Je marche!» dit Cristobal. Mais c'est d'effacer qui est difficile, on commence par quoi? Essayons. On refait les constitutions d'abord, parce qu'elles tiennent les peuples dans leur main ; puis on refait les gouvernements, c'est ce qui est en apparence le plus facile dans nos pays de démocrates, puisque les gouvernements sont les soit-disant porte-parole des désirs de la majorité ; puis on refait les religions, hou là là ! bonne chance les filles ; puis les mentalités ; puis les comportements. «On commence par donner du pain», dit Moreno. «Non, on commence par le commencement, dit Sequaluk, soit le droit d'exister». «Pas bête ! constate Cristobal, mais ça veut dire quoi au juste, le droit d'exister ?» Cristobal en profite pour proposer un caipirinha de sa façon, qui est bien l'équivalent du derringer de Jones ! «Mais le droit d'exister, ça veut dire quoi ?» insiste Cristobal. «Le droit d'aimer» dit Smith ; «le droit d'être heureux» proposent Virtuelle et Agnelle ; «le droit de manger à sa faim» dit Moreno. Ça recommence. « Va pour le droit d'exister ! ensuite on verra, d'accord ?» Elles sont d'accord, mais l'instant d'après elles se retrouvent à la case départ, elles examinent toutes les possibilités, elles imaginent même de changer de rôles pour voir ce que ça donnerait, si par exemple Sequaluk était Cristobal, si Agnelle était Jones… Est-ce que Sequaluk nous aurait descendu Adolfo au premier regard menaçant, après l'avoir confondu avec un ours ? Est-ce qu'Agnelle aurait agrandi son bonheur en compagnie du vendeur de poudre qui hantait le bar The Abbey ?

Je les laisse à leur fête, non sans avoir noté que Smith et Virtuelle ont eu des mots sur les mérites respectifs de la verticalité et de l'horizontalité du monde. Ce qui a conduit les sept à pousser, au bout du compte, un immense éclat de rire. Je les quitte à regret et je me dirige vers l'aéroport de Rio, puisqu'il est grandement temps de rentrer. Je règle la taxe d'embarquement. Je traîne une valise plus lourde qu'à l'arrivée, ses flancs sont bourrés de secrets : j'ai des palpitations au cœur à la pensée de devoir me présenter aux douanes de Mirabel, mon point de chute.

Voilà que dans la cohue nous nous engouffrons dans un Boeing ou quelque chose d'apparenté, et nous nous dirigeons vers nos sièges du pas des hallucinés. Alors la chose, comme une maison qui aurait subi un étirement, entre en vibration et se met à rouler sur la piste jusqu'à ce qu'elle décolle, oui, c'est le mot, décolle. L'angoisse se lit sur des dizaines de visages, car nous savons tous que cette masse métallique qui vole n'a pas véritablement d'ailes. Si nous volons, la science nous explique que c'est parce que nous ressemblons davantage à un boulet qu'à un oiseau : c'est la vitesse qui nous tient en l'air. Je veux bien.

Nous volons ainsi jusqu'à Mirabel sans autre histoire, excepté une escale à Miami, et l'oiseau primitif se pose enfin. Oh pour ça il a du talent ! On est posé. On s'étire comme après une naissance, on est fourbu d'avoir dormi en petit bonhomme, parfois sur l'épaule de la voisine. Puis on sort, on réussit à s'extirper du ventre de tôle, mais c'est pour aussitôt devoir s'enfoncer dans l'horrible transbordeur qu'on dirait tout droit sorti de *Star War*, puisqu'il a des pattes de sauterelle et qu'il grouille comme une chenille. Les passagers constatent qu'ils sont infiniment las, ils se regardent sans mot dire, ils sont encore en voyage. Mais à leur lassitude se mêle une joie sans nom, car ils viennent de comprendre que leur sentence de mort a été commuée en sentence à vie. Ils déposent leur bagage. Et ils regardent en l'air.

Puis après le tunnel on débouche dans l'aérogare, qui est vide comme le ciel. Mais n'allons pas trop vite, c'est le pays des référendums. Il faut donner au temps le temps de changer les choses. Je me traîne comme un ver dans un sillon, je veux à tout prix passer inaperçu, c'est difficile. Je me place au bout de la queue la plus longue. Je cherche mon passeport, mais dans quelle poche j'ai pu fourrer ça ? Et ça ressemblait à quoi déjà ? Peut-être que Maria me l'a chipé pour s'en faire un carnet de notes ? Mais non, elle ne sait pas écrire. Je trouve le passeport, quel soulagement ! Il bâillait dans la poche intérieure gauche de ma veste. Je cherche la déclaration… un petit papier blanc et sec comme un impératif catégorique. Mais qu'est-ce qu'il faut donc écrire là-dessus ? Je ne me souviens jamais. Des balivernes pour déterminer si on est un homme d'affaires, par exemple. Elle est bien bonne. Ils ont peur qu'on fasse des affaires louches ou ils se paient notre tête ? Un homme d'affaires !

«Un agriculteur?» demande ensuite le formulaire, comme si j'avais envie de passer des cochons en fraude! Les nôtres nous suffisent. «Autre?» est la question suivante, et la dernière. Dans le doute je comprends qu'il s'agit de moi, je me reconnais, et je coche.

Alors là, c'est cuit. Voilà qu'il me repère dans la foule, oui oui, je suis là, et lui, c'est le douanier. Il grandit tellement il est fier de m'apercevoir. La sélectrice des bons et des mauvais voyageurs m'aiguille vers lui, mais je ne le sais pas encore, je n'ai même pas récupéré mon bagage. J'attends le long de la chenille mécanique en utilisant le carton de l'aiguilleuse pour tirer à pile ou face. Ce carton a certes un déséquilibre puisqu'il retombe toujours du côté face. Agnelle, qui était spécialisée dans les balances, n'apprécierait pas. Je récupère ma valise de cuir et je me précipite vers la sortie, mais le cher douanier siffle «Hé, pas si vite!» en me gratifiant d'un sourire attachant.

— On a fait bon voyage? demande-t-il.

— Et comment que oui!

— Et on rapporte quoi?

— La question est grave. On rapporte quoi à voyager, en effet?

Il n'est pas satisfait de ma réponse.

Alors je lui tends ma valise. Qu'il tâte lui-même! Après tout je ne suis pas payé pour emballer, déballer et remballer mes affaires. Clic clic! La main du douanier s'insinue et fouille pareillement le contenu de ma vieille valise, au point que je me demande si tous les douaniers n'ont pas suivi un même cours de fouille. Sa main glisse rapidement sur les trois litres de cachaça — dont l'un du moins est illicite —, bouscule les souvenirs que m'a laissés l'Ambassadeur et s'empare d'une liasse de papiers qui pourraient passer pour un manuscrit. Il rougit de plaisir et il ouvre à la page 11. «Page 11», déclare-t-il. Surprise, il sait compter! Et il commence à balayer les feuillets du regard. «La recherche du bonheur?» fait-il. Comble de malheur, il sait lire! Il n'y avait pas une chance sur mille. Et il lit, il lit au point d'en oublier ma valise. «Hou là là!» fait-il de temps à autre.

Dieu que j'ai hâte de rentrer chez moi pour me glisser doucement dans mes affaires, car l'heure avance et j'ai peur de tomber d'inanition. Mais il lit toujours, à haute voix même: il m'inflige ce supplice. Il marmonne, il commente, il s'excite, et il pousse à tout moment des «hou là là, hou là là hou!» qui ponctuent mes phrases et me font chaque fois passer devant son tribunal. Il lit toujours. Il tourne enfin la dernière page et me regarde, partagé entre la haine et la reconnaissance. Il referme le tout.

Puis d'un geste ambigu de la main il me signifie que je suis libre de repartir.

FIN

Boucherville, 1994

Table des matières

DANGER

LE PHOTOCOPILLAGE TUE LE LIVRE

*Cet ouvrage
composé en Post Mediaeval corps 10,5
a été achevé d'imprimer
en avril deux mille trois
sur les presses de*

Gatineau (Québec).